THE WORD DETECTIVE IN FRENCH

With Easy Pronunciation Guide

Heather Amery and Katherine Folliot
Illustrated by Colin King

Pronunciation Guide by Anne Becker

L'Inspecteur Nom et le mystère du marché

Inspector Noun and the market mystery

Nom va au marché à la recherche d'un voleur.
Noun goes to market to find a thief.

les cerises

les fraises

les framboises

Il se demande qui a mangé les cerises, les fraises et les framboises.
He thinks, who has been eating the cherries, the strawberries and the raspberries?

l'ananas

le melon

la pomme

Il regarde un ananas, fait tomber un melon et mange une pomme.
He looks at a pineapple, drops a melon and eats an apple.

les oranges

les citrons

les abricots

Il passe devant des oranges, des citrons et des abricots.
He walks past the oranges, the lemons and the apricots.

les poires

les raisins

les bananes

Il examine les poires, les raisins et les bananes.
He looks at the pears, at the grapes and the bananas.

la pêche

le pamplemousse

les prunes

Il s'arrête pour tâter une pêche, acheter un pamplemousse et des prunes.
He stops to squeeze a peach, buy a grapefruit and some plums.

les petits pois

Qui a mangé les petits pois,
Who has been eating the peas,

les haricots

les haricots
the beans

la laitue

et la laitue?
and the lettuce?

les pommes de terre

Nom regarde de près les pommes de terre,
Noun looks at the potatoes,

les carottes

les carottes
the carrots

les choux

et les choux.
and the cabbages.

la tomate

Dans sa hâte il écrase une tomate,
He steps on a tomato,

les champignons

fait tomber des champignons
knocks down some mushrooms

le cresson

et renverse le cresson.
and kicks over the watercress.

es navets

les choux de Bruxelles

les betteraves

I jette un coup d'oeil aux navets et aux choux de Bruxelles et passe à quatre pattes devant les betteraves.
He peers round the turnips, and the sprouts and crawls past the beetroot.

e céleri

regarde en passant le céleri,
e walks past the celery,

les radis

les radis
looks at the radishes

les oignons

et les oignons.
and the onions.

e poireau

glisse sur un poireau,
e slips on a leek,

le chou-fleur

trébuche sur un chou-fleur
trips over a cauliflower

les voleurs

et découvre les voleurs.
and finds the thieves.

L'Inspecteur Nom et le vol de diamants

Inspector Noun and the diamond thief

le bateau

la planche d'embarquement

le capitaine

L'Inspector Nom conduit sa voiture jusqu'au bateau. Il monte sur la planche d'embarquement et va parle au capitaine

Inspector Noun drives to the ship. He walks up the gang plank and talks to the captain.

les diamants

le voleur

Le capitaine lui dit qu'un voleur a volé des diamants.

The captain says some diamonds have been stolen by a thief.

la dame

Mais une dame l'a vu s'enfuir.

But a woman saw him.

le pavillon

le pont

le matelot

le treuil

l'écoutille

la chaîne

le chat

la cale

la cargaison

l'ancre

la couchette

la cabine d'équipage

la cabine

l'avant

la chaufferie

le pont

Nom avance furtivement sur le pont
Noun creeps along the deck

l'homme

et saisit l'homme.
and catches the man.

les poches

Mais ses poches sont vides.
But his pockets are empty.

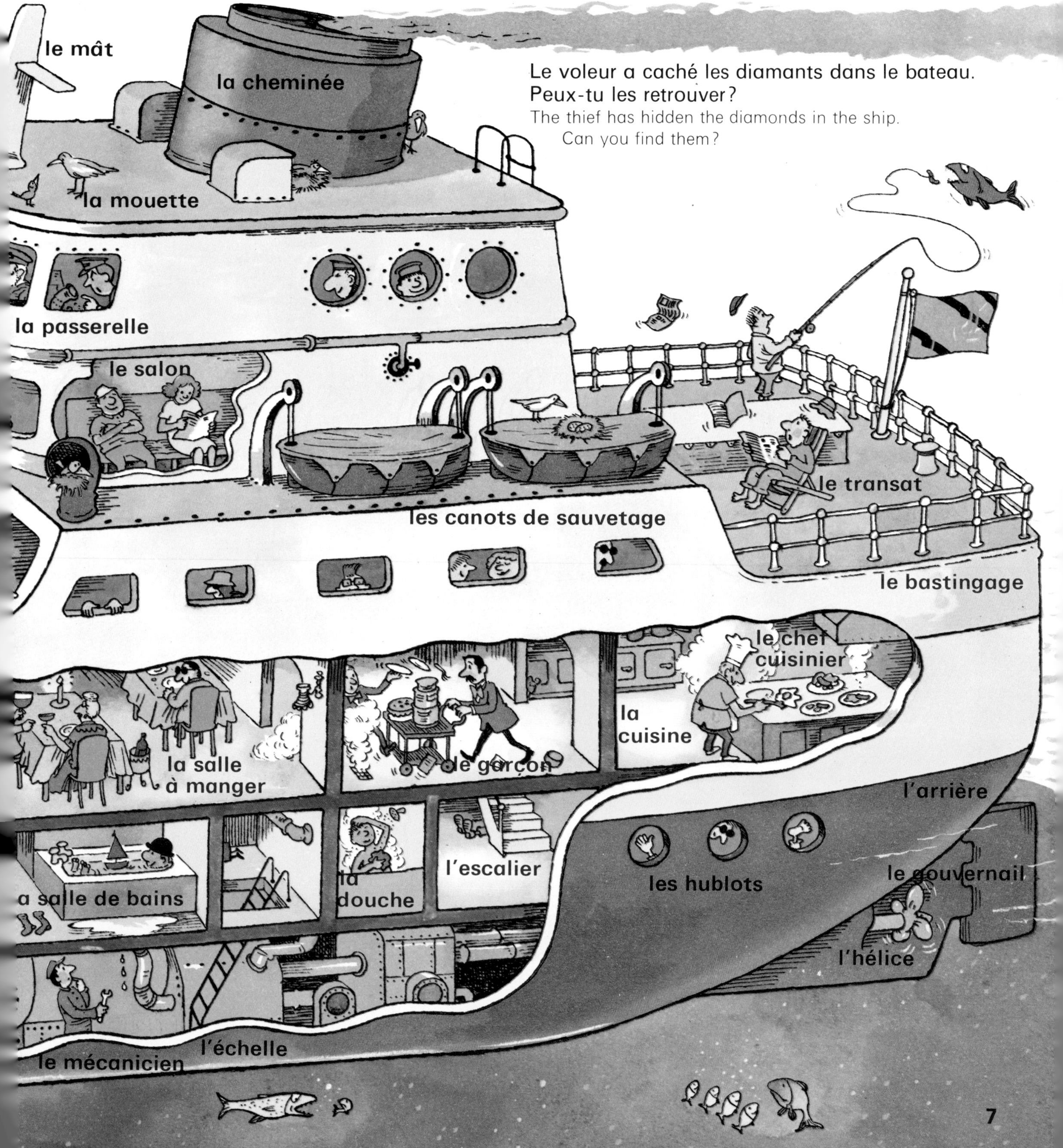

Le voleur a caché les diamants dans le bateau.
Peux-tu les retrouver?
The thief has hidden the diamonds in the ship.
Can you find them?

le mât
la cheminée
la mouette
la passerelle
le salon
les canots de sauvetage
le transat
le bastingage
le chef cuisinier
la cuisine
la salle à manger
le garçon
l'arrière
la salle de bains
la douche
l'escalier
les hublots
le gouvernail
l'hélice
le mécanicien
l'échelle

Le Sergent Verbe a une journée chargée

Sergeant Verb has a busy day

dormir

Verbe dort dans son lit.
Verb sleeps in bed.

se réveiller

Il se réveille
He wakes up

se lever

et se lève.
and gets up.

ouvrir

Il ouvre les robinets,
He turns on the taps,

se laver

se lave les mains
washes his hands

frotter

et se frotte la figure.
and rubs his face.

laver

Il se lave les dents,
He cleans his teeth,

enlever

enlève son pyjama,
takes off his pyjamas,

mettre

met ses vêtements,
puts on his clothes

brosser

et se brosse les cheveux.
and brushes his hair.

glisser

Verbe glisse le long de la rampe,
Verb slides down the bänisters

manger

puis mange une tartine.
and then eats a piece of bread

boire

Il boit son café,
He drinks his coffee,

lire

lit le journal
reads the newspaper

faire tomber

et fait tomber une assiette.
and drops a plate.

donner à manger

Il donne à manger au canari,
He feeds the canary,

fermer

ferme la fenêtre
closes the window

ouvrir

et ouvre la porte.
and opens the door.

conduire

Il conduit sa voiture,
He drives his car,

entrer

entre dans son bureau
walks into his office

écrire

et écrit une lettre.
and writes a letter.

parler

I parle à quelqu'un au téléphone,
He talks on the telephone,

dire

dit à Nom qu'il y a eu un cambriolage
tells Noun about a robbery

courir

et court à sa voiture.
and runs out to his car.

regarder

Il regarde une fenêtre,
He looks at a window,

examiner

examine une empreinte
examines a footprint

suivre la trace

et suit la trace du cambrioleur.
and searches for the burglar.

poursuivre

Verbe poursuit le cambrioleur,
Verb chases the burglar,

attraper

l'attrape
catches him

se bagarrer

et ils se bagarrent.
and they fight.

donner un coup de pied

Le cambrioleur donne un coup de pied à Verbe,
The burglar kicks Verb,

donner un coup de poing

tomber

Verbe donne un coup de poing au cambrioleur et celui-ci tombe par terre.
Verb hits the burglar and he falls down.

emettre sur pied

Verbe le remet sur pied,
Verb picks him up,

emmener

l'emmène au commissariat
takes him to the police station

enfermer à clé

et l'enferme à clé.
and locks him in.

L'Inspecteur Nom et le taureau primé Inspector Noun and the prize bull

Trois voleurs idiots essayent de voler un taureau primé.
Par quelles barrières l'Inspecteur Nom doit-il passer pour les prendre sur le fait?
Three silly robbers try to steal a prize bull. Which gates does Inspector Noun go through to catch them?

le verger
le hangar
la remorque
silo
le tracteur
la charrue
l'élévateur
l'abreuvoir
l'enclos
les vaches
e berger
les veaux
l'étable
le chien
de berger
l'âne
le taureau
les
chevaux
le poulain
le camion

L'Inspecteur Nom et les espions industriels

Inspector Noun and the factory spies

l'usine

Nom se tient aux aguets devant une usine. Il voit deux espions qui sortent en courant.
Noun is on watch outside a factory. He sees two spies run out.

la rue

Il les suit tout le long de la rue,
He follows them down the street,

les grilles

passe par les grilles d'entrée
through the gates

le jardin public

et entre au jardin public.
and into the park.

le lac

Il passe devant le lac,
He walks past the lake,

les balançoires

les balançoires
the swings

la fanfare

et la fanfare.
and the band.

l'école

la clôture

la cour de récréation

Les espions s'approchent d'une école. Nom regarde à travers la clôture et les aperçoit dans la cour de récréation
The spies are near a school. Noun looks through some railings and sees them in the playground.

l'église

le cinéma

l'hôtel

Courant à leurs trousses, il passe devant une église, contourne un cinéma et entre dans un hôtel.
He chases them past the church, round the cinema and into a hotel.

le café

Il trouve les espions assis à un café.
He finds the spies at a café.

les feux

Ils se dirigent vers les feux,
Off they go to the traffic lights

le passage clouté

et traversent la rue au passage clouté.
and walk across the crossing.

l'arrêt d'autobus

le réverbère

la statue

Ils attendent à un arrêt d'autobus. Nom se glisse derrière un réverbère et va se cacher derrière une statue.

They wait at a bus stop. Noun runs round a street lamp and hides behind a statue.

l'autobus

l'hôpital

le trou

Les espions ratent l'autobus, et continuent leur route à pied. Ils passent devant l'hôpital et devant un trou dans la chaussée.

The spies miss the bus and walk on. They pass the hospital and a hole in the road.

le marteau-piqueur

la pelleteuse

le rouleau compresseur

Ils voient un ouvrier et son marteau-piqueur, une pelleteuse et un rouleau compresseur.

They watch the man with a drill, a digger and a roller.

les tuyaux

les briques

le gendarme

Ils sautent par-dessus des tuyaux et des briques. Puis ils aperçoivent Nom en train de parler à un gendarme.

They jump over some pipes and some bricks. Then they see Noun with a policeman.

le bureau

l'escalier

l'escalier de secours

Ils se dépêchent d'entrer dans un bureau, escaladent l'escalier et empruntent l'escalier de secours.

They hurry into an office, up the stairs and on to the fire escape.

le toit

le drapeau

la cheminée

Nom les pourchasse jusque sur le toit, contourne un drapeau et finit par les attraper près d'une cheminée.

Noun chases them on to the roof, round a flag and at last traps them by a chimney.

L'Inspecteur Nom fait un voyage en avion

Inspector Noun goes flying

L'Inspecteur Nom va à l'aéroport en voiture. Il est à la recherche d'un fraudeur.
Inspector Noun drives to the airport. He is looking for a smuggler.

le billet

Il fait contrôler son billet.
His ticket is checked

la douane

Il passe la douane
He goes through the customs

le passeport

et fait tamponner son passeport.
and has his passport stamped.

la salle de départ

Il attend dans la salle de départ.
He waits in the departure lounge.

la carte d'embarquement

Il reçoit sa carte d'embarquement.
He is given his boarding pass.

les passagers

Il observe les autres passagers.
He looks at the other passengers.

la tour de contrôle

le hangar

le radar

le couloir amovible

la piste d'envol

la cargaison

l'avion à reaction

le poste de pilotage

les marches

les passagers

le train d'atterrissage

le

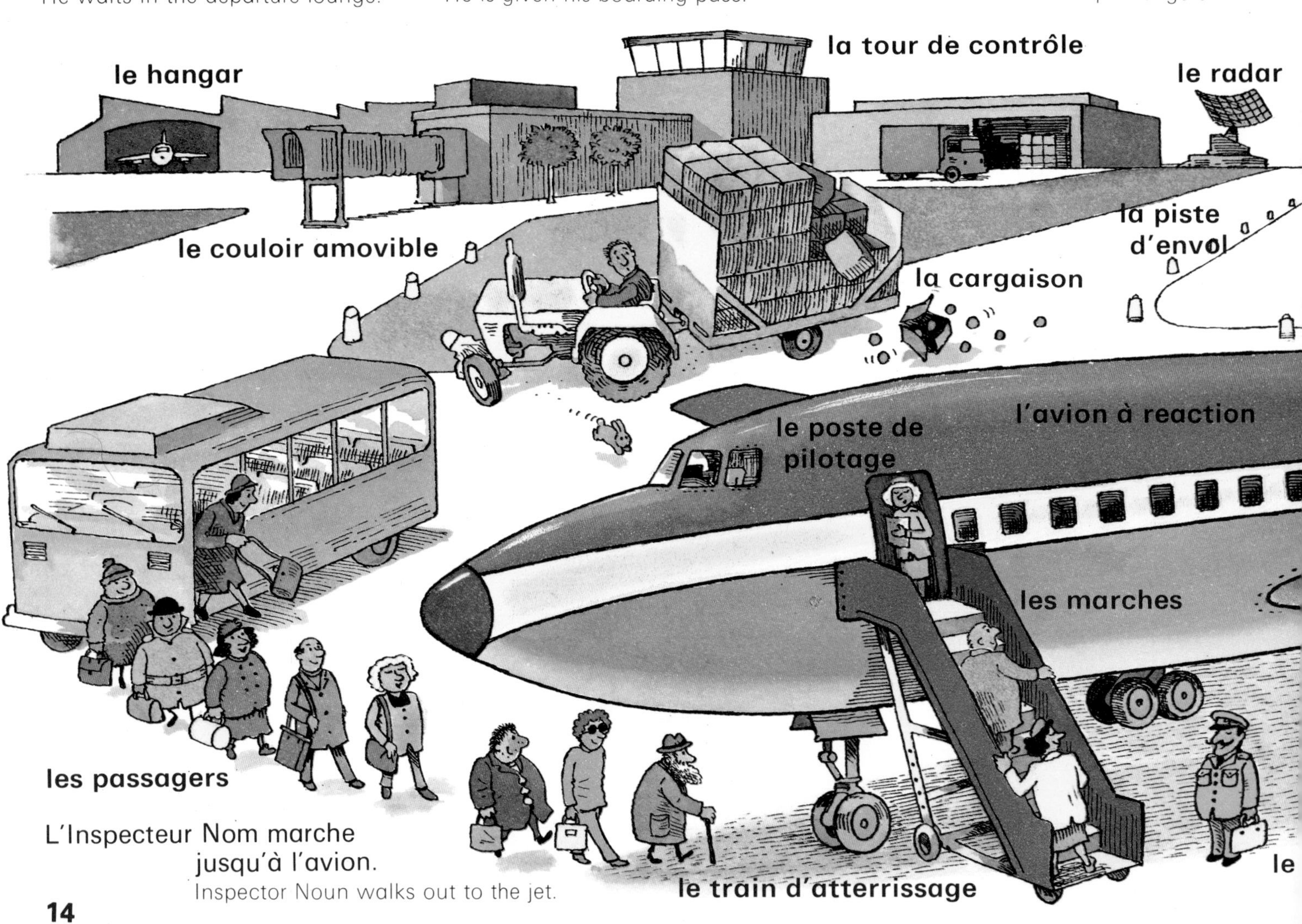

L'Inspecteur Nom marche jusqu'à l'avion.
Inspector Noun walks out to the jet.

a cabine

avance dans la cabine
e walks down the cabin

la place

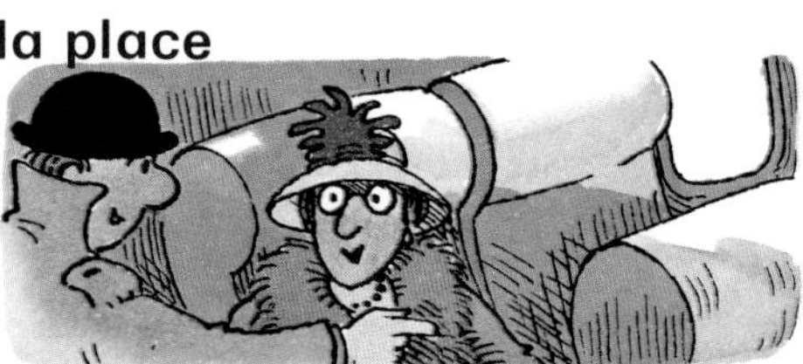

et trouve sa place.
and finds his seat.

la ceinture de sécurité

Il attache sa ceinture de sécurité.
He fastens his safety belt.

a piste d'envol

'avion roule très vite sur la piste
he jet speeds down the runway

le décollage

et décolle.
and takes off.

le poste de pilotage

Nom va au poste de pilotage.
Noun goes to the flight deck.

e pilote

parle au pilote,
le talks to the pilot,

les commandes

regarde les commandes
looks at the controls

le couloir

et revient le long du couloir central.
and walks down the gangway.

es barres d'or

aperçoit les barres d'or,
le sees the gold bars,

l'hôtesse de l'air

chuchote quelque chose à l'hôtesse
so he whispers to the stewardess

le fraudeur

et arrête le fraudeur.
and arrests the smuggler.

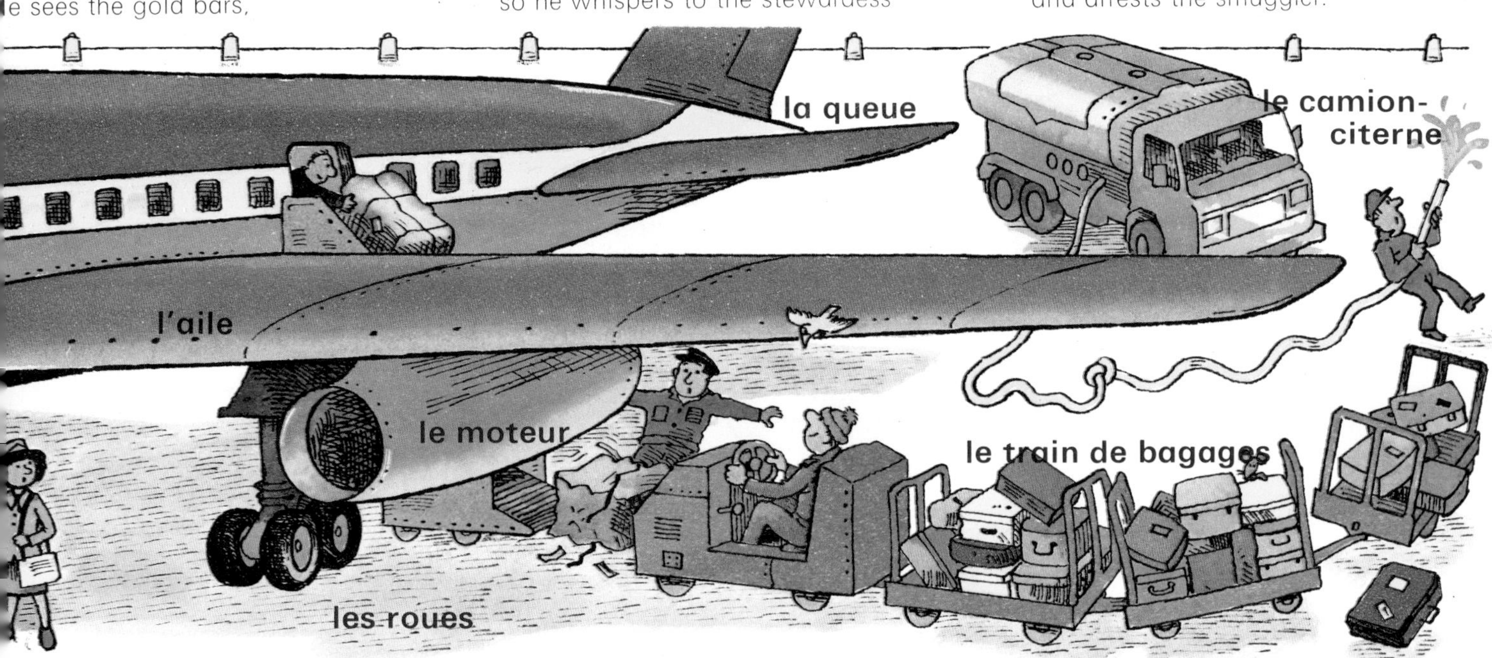

L'Inspecteur Nom et le magasin de déguisements

Inspector Noun and the disguise shop

Nom et son assistante vont au magasin de déguisements. Combien de déguisements essayent-ils?
Noun and his assistant go to a disguise shop. How many disguises do they try on?

les bottes

les chaussures

les pantoufles

les chapeaux

les casquettes

les chaussettes

les cravates

les pantalons

les chemises

les jeans

les kilts

les gants

les manteaux

les tricots

les anoraks

les salopettes

les costumes

les imperméables

les perruques

les faux-nez

les pyjamas

les uniformes

les barbes

les moustaches

les robes de chambre

les shorts

les tee-shirts

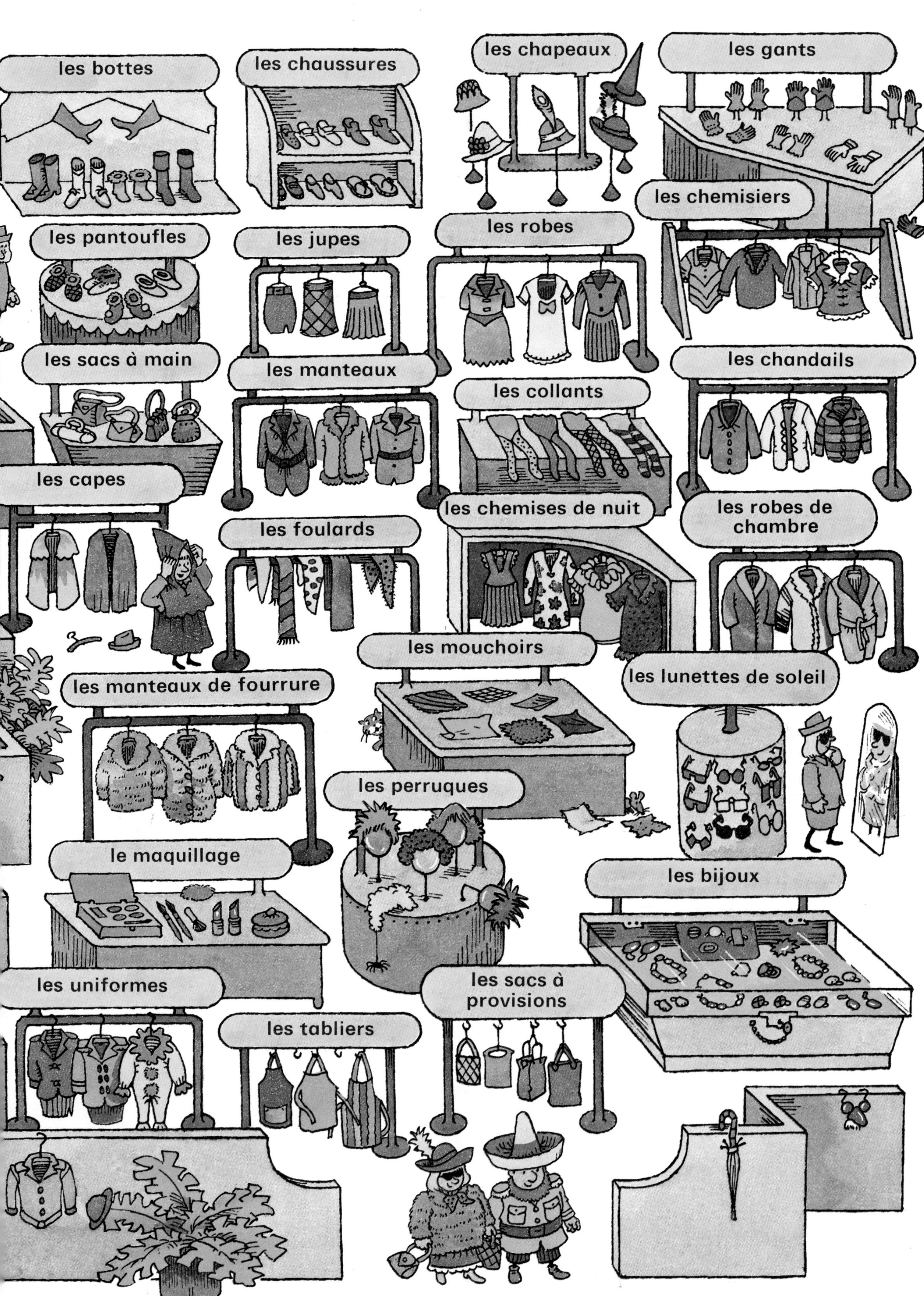
les bottes
les chaussures
les chapeaux
les gants
les chemisiers
les pantoufles
les jupes
les robes
les sacs à main
les manteaux
les collants
les chandails
les capes
les chemises de nuit
les robes de chambre
les foulards
les mouchoirs
les manteaux de fourrure
les lunettes de soleil
les perruques
le maquillage
les bijoux
les uniformes
les sacs à provisions
les tabliers

L'Inspecteur Nom et le gang du supermarché

Inspector Noun and the supermarket gang

Nom va au supermarché. Il recherche des voleurs de victuailles.
Noun goes to the supermarket. He is looking for some food robbers.

le pain

Il passe devant le comptoir du pain
He walks past the bread

le beurre

et du beurre,
and the butter,

le fromage

examine le fromage,
looks at the cheese,

le lait

suit la piste le long du comptoir de lait
goes past the milk

le yaourt

et yaourt,
and the yoghurt

les oeufs

et fait tomber des oeufs.
and drops some eggs.

le jambon

Nom inspecte le jambon
Noun looks at the ham

le bacon

et le bacon
and the bacon

le poisson

et avance à quatre pattes devant l'étalage de poisson.
and crawls past the fish.

la farine

Il jette un coup d'oeil à la farine,
He peers round the flour,

le sucre

au sucre
the sugar

le chocolat

et au chocolat.
and the chocolate.

le miel

Il s'arrête devant des pots de miel,
He stands by the honey,

la confiture

examine la confiture,
looks at the jam

les bonbons

et fait son choix de bonbons.
and chooses some sweets.

les gâteaux

Il passe en courant devant les gâteaux
He runs past the cakes

les biscuits

et les biscuits
and the biscuits

les petits pains

et enjambe les petits pains.
and steps over the bread rolls.

les boîtes de conserve

Il renverse des boîtes de conserves,
He knocks over tins

les bouteilles

des bouteilles
and bottles

les bocaux

et des bocaux.
and jars.

le congélateur

Il se repose près du congélateur.
He rests by the freezer.

le panier

D'un coup de pied, il renverse un panier
He kicks over a basket

les boîtes

et des boîtes en carton.
and some boxes.

la viande

Nom découvre de la viande,
Noun finds some meat,

le poulet

un poulet
a chicken

les saucisses

et des saucisses.
and some sausages.

la caisse

les sacs à provision

les sacs de pommes de terre

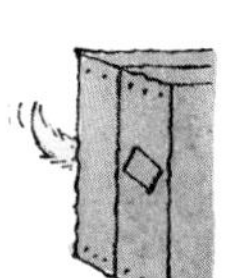

Il passe en courant derrière la caisse, saute par dessus des sacs à provisions et des sacs de pommes de terre.
He runs past the cash desk, jumps over some bags and some sacks of potatoes.

les voleurs

Puis il prend les voleurs en flagrant délit.
Then he catches the robbers.

le chariot

Il les met dans un chariot
He puts them in a trolley

la prison pour chiens

et les emmène à la prison pour chiens.
and takes them to the dog prison.

Le Détective Préposition et le château hanté

Detective Preposition and the haunted castle

Le Détective Préposition va au château. Des escrocs y ont caché leur butin.
Detective Preposition goes to the castle. Crooks have hidden some treasure there.

aux

Il arrive aux douves,
He arrives at the moat,

sur

passe sur le pont-levis
walks over the drawbridge

par

et entre par la loge de garde.
and goes in by the gatehouse.

sous

Il regarde sous une pierre,
He looks under a stone,

avec

cherche le trésor avec sa lampe électrique
searches for the treasure with his torch

entre

et la dirige entre deux canons.
and shines it between two cannons.

près

Il s'arrête près d'un pilier,
As he stops near a pillar,

de

il entend un bruit de pas
he hears the sound of footsteps

dans

et il regarde dans une pièce.
and looks into a room.

derrière

Un fantôme apparaît derrière lui,
A ghost appears behind him

en face de

puis se place en face de lui.
and then stands in front of him.

vers

Il court vers l'escalier.
He runs towards the stairs.

en bas

Il tombe jusqu'en bas,
He jumps quickly down,

à travers

passe à travers le plancher
falls through the floor

sur

mais retombe sur ses pieds.
but lands on his feet.

La Détective Pronom à la rescousse

Detective Pronoun to the rescue

Voyant que Préposition ne revient pas, le Détective Pronom part pour le château hanté.
When Preposition does not come back, Detective Pronoun goes to the haunted castle.

elle

Elle entre par le portail,
She walks through the gate,

vous

s'écrie: "Où êtes-vous?"
shouts "Where are you?"

le

et le cherche.
and looks for him.

il

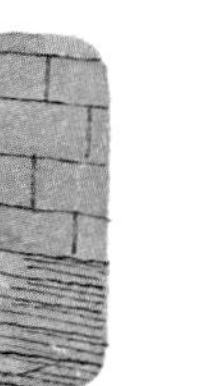

'uis elle s'aperçoit qu'il est dans le dongeon.
hen she sees he is in the dungeon.

moi

"S'il vous plaît, aidez moi" dit-il.
"Please help me," he says.

je

"Je vais vous sortir de là," dit-elle.
"I will pull you out," she says.

ous

Vite, cachons-nous.
Quick, we must hide.

ils

Ils descendent par ici
They are coming down here

nous

et ils vont nous voir."
and will see us."

Nous l'avons trouvé," dit un bandit.
We have found it," says a crook.

la

Soudain ils la voient,
Suddenly they see her

les

mais elle les arrête.
but she arrests them.

L'Inspecteur Nom et les ravisseurs

Inspector Noun and the kidnappers

Une nuit, dix espions entrèrent furtivement dans un hôtel pour enlever un savant célèbre.

One night ten spies crept into a hotel to kidnap a famous scientist.

le bébé

le lit d'enfant

la couverture

la coiffeuse

aspirateur

le cou

le balcon

le lit

l'armoire

la salle de bains

le savon

la serviette

le palie

la lampe

le radiateur

le tableau

les rideaux

la table

la salle à manger

la chaise

les fleurs

l'ascens

la voiture d'enfant

le t

les fours

la cuisine

les casseroles

le tablier

la machine à laver

le frigidaire

la cuisinière

l'évier

le lave-vaisselle

la poêle

l'escalier

Lorsqu'ils entendirent l'Inspecteur Nom arriver, ils se cachèrent. Est-ce que tu peux les découvrir tous?
When they heard Inspector Noun coming, they hid. Can you find them all?

les filles
les garçons
le savant

a chambre
la douche
la chambre
les toilettes

le
la réception
le lampadaire
la glace
les livres
la télévision
le charbon
la cheminée
le coussin
le fauteuil
la bibliothèque

s rayons
le placard
l'office
le vin
la bière
la chaudière

L' Inspecteur Nom à la poursuite des escrocs

Inspector Noun chases the crooks

la prison

Deux escrocs s'évadent de prison. Nom part à leur poursuite.
Two crooks escape from prison. Noun runs after them.

le tandem

Ils s'échappent sur un tandem.
They ride away on a tandem.

la bicyclette

Nom les poursuit en bicyclette.
Noun chases them on a bicycle.

la trottinette

Ils sautent sur une trottinette.
They jump on a scooter.

les patins à roulettes

Nom les suit en patins à roulettes.
Noun follows them on roller skates.

la voiture

Les escrocs volent une voiture.
The crooks steal a car.

le taxi

Nom prend un taxi.
Noun hires a taxi.

le camion

Ils se sauvent en camion.
They drive off in a lorry.

la camionette

Nom les file de près en camionnette.
Noun follows them in a van.

l'avion

Les escrocs s'enfuient en avion.
The crooks fly off in a plane.

l'hélicoptère

Nom leur donne la chasse en hélicoptère.
Noun chases them in a helicopter.

le parachute

Ils redescendent en parachute.
They come down by parachute.

le train

Ils prennent le train.
They catch a train.

le canot à moteur

Ils volent un canot à moteur.
They steal a motor boat.

le bateau à rames

Ils sautent dans un bateau à rames.
They jump into a rowing boat.

le van

Ils volent un van.
They steal a horse box.

la moto

Ils ont un accident de moto.
They crash a motorbike.

le ballon

Nom atterrit en ballon.
Noun lands in a balloon.

la voiture de course

Nom les poursuit dans une voiture de course.
Noun drives after them in a racing car.

le voilier

Nom suit en voilier.
Noun follows in a sailing boat.

le canoë

Nom pagaye à leur poursuite en canoë.
Noun paddles after them in a canoe.

la voiture de pompiers

Nom profite d'une voiture de pompiers pour les suivre.
Noun has a lift on a fire engine.

l'ambulance

Nom les arrête et les emmène en ambulance.
Noun catches them and takes them away in an ambulance.

Ecole pour verbes-dètectives

School for Verb Detectives

Voici beaucoup de verbes dans une école pour détectives. Peux-tu trouver les six escrocs qui les épient?

Here are lots of Verbs at a school for detectives. Can you find the six crooks watching them?

voler
ramer
patiner
couper
souffler
construire
se tenir debout
faire
la course
chanter
jouer
diriger
peindre
attendre
danser
se balancer
réfléchir
sautiller
tricoter
faire la cuisine
faire
coudre
arrêter

Le Détective Adverbe et le voleur de viande

Detective Adverb and the meat thief

Un soir, Adverbe vit un homme voler de la viande. Voici ce qu'il vit.
One evening Adverb saw a man stealing some meat. This is what he saw.

lentement

bruyamment

tristement

Un chien s'approcha lentement de la boucherie, en flairant bruyamment, puis tristement se coucha.
A dog was walking slowly along, sniffing loudly for food, then sat down sadly.

brusquement

sur-le-champ

joyeusement

Brusquement, un homme saisit un morceau de viande; le chien le mangea sur-le-champ, en remuant joyeusement la queue.
A man suddenly grabbed some meat, the dog soon ate it and wagged his tail happily.

doucement

avec colère

rapidement

L'homme caressa doucement le chien. Le boucher s'exclama avec colère et l'homme s'enfuit rapidement.
The man gently patted the dog. The butcher shouted angrily and the man ran quickly away.

violemment

Le chien aboya violemment.
The dog barked fiercely.

presque

Le boucher l'attrapa presque,
The butcher almost caught it

aussi

mais le chien se sauva lui aussi
but the dog also ran away.

Le rapport du Détective Adjectif

Detective Adjective's Report

Adjectif vit le chien et l'homme. Voici la description qu'elle en donna.
Adjective saw the dog and the man. This is her description of them.

fin

Le chien avait un museau fin,
The dog had a thin head,

pointu

des oreilles pointues
pointed ears

brun

et des yeux bruns.
and brown eyes.

noir

I avait un pelage noir,
t had a black coat,

long

une longue queue
a long tail

rouge

et portait un collier rouge.
and wore a red collar.

rond

'homme avait un visage rond,
he man had a round face,

bouclé

des cheveux bouclés
curly hair

gris

et une barbe grise.
and a grey beard.

vert

portait un chapeau vert,
e wore a green hat,

vieux

un vieux manteau
an old coat

blanc

et une chemise blanche.
and a white shirt.

leu

avait un pantalon bleu,
e had blue trousers,

jaune

des chaussettes jaunes
yellow socks

grand

et des grandes bottes.
and big boots.

L'Inspecteur Nom et les contrebandiers

Inspector Noun and the smugglers

le pétrolier

le remorqueur

le sous-marin

le bateau de pêche

le hovercraft

la grue

le cargo

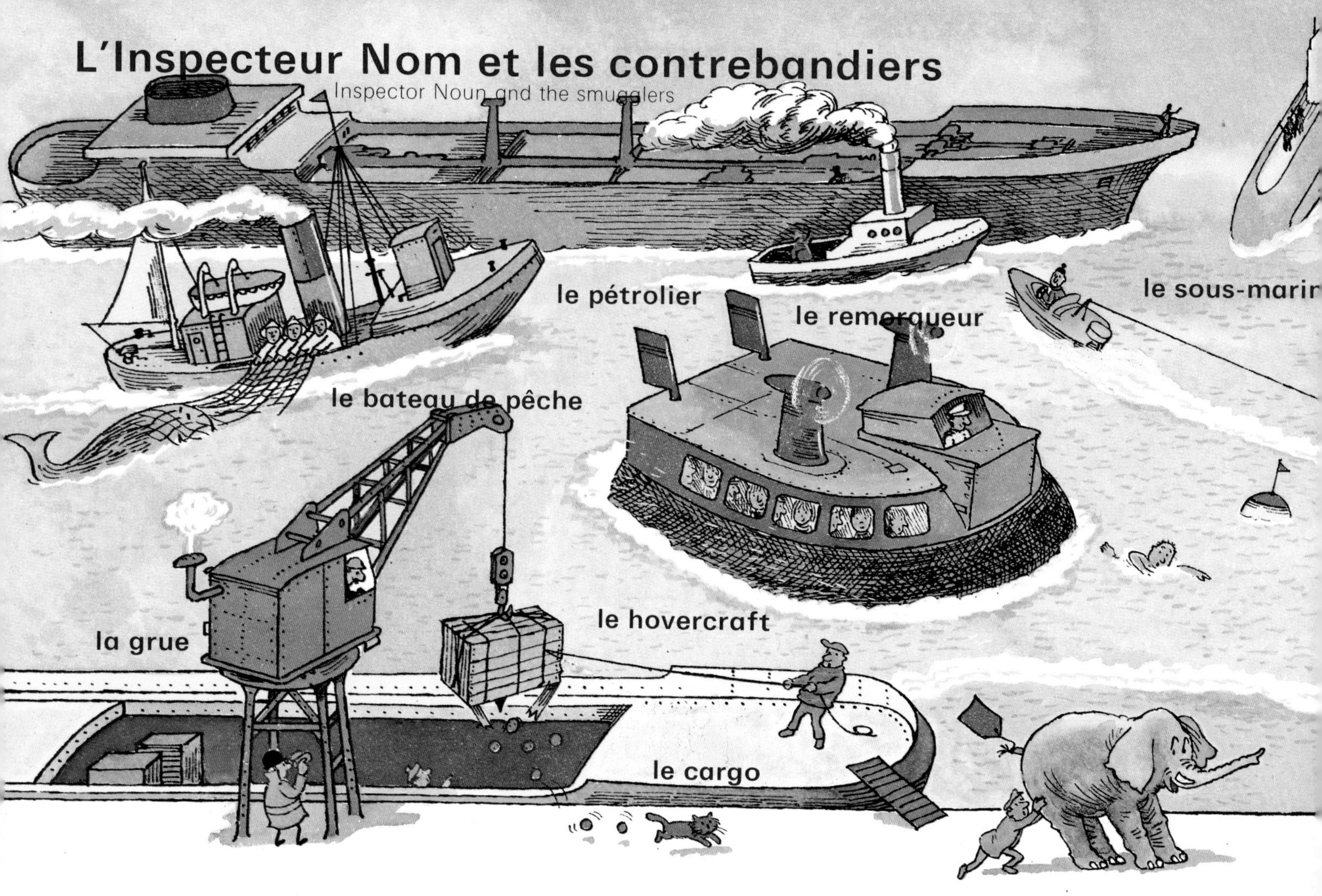

L'Inspecteur Nom guette des contrebandiers. Il veut découvrir leur cachette.
Inspector Noun is waiting for some smugglers. He wants to find their hide-out.

le bateau à moteur

Il voit arriver un bateau à moteur
He sees a motor boat

les contrebandiers

et il épie les contrebandiers.
and watches the smugglers.

la plage

Il les suit le long de la plage.
He follows them along the beach.

le château de sable

Ils démolissent un château de sable,
They step on a sandcastle,

le seau

renversent un seau
kick over a bucket

le parasol

et font tomber un parasol.
and knock down an umbrella.

le pelle

L'un d'eux met le pied sur une pelle,
One steps on a spade,

le ballon

un autre tape dans un ballon.
another kicks a ball.

le pique-nique

Les contrebandiers font un pique-nique.
The smugglers stop for a picnic.

l'épave

la jetée

hydrofoil

ski nautique

le bac à voitures

la bouée

isses

l'entrepôt

s galets

om s'assied sur les galets.
oun sits on the pebbles.

le crabe

Il ramasse un crabe
He picks up a crab

la flaque d'eau

et le met dans une flaque d'eau.
and puts it into a rock pool.

s rochers

suit les hommes jusqu'aux rochers,
follows the men to the rocks,

les algues

glisse sur des algues
slips on some seaweed

le phare

et arrive au phare.
and reaches the lighthouse.

falaise

escalade la falaise,
climbs up the cliff,

le tunnel

se glisse dans un tunnel
crawls into a tunnel

la caverne

et découvre la cachette des contrebandiers dans une caverne.
and finds the smugglers' hide-out in a cave.

L'Inspecteur Nom en danger

Inspector Noun in danger

L'Inspecteur Nom surprend les contrebandiers dans leur caverne. Mais le voyant seul, ils partent à sa poursuite.
Noun finds the smugglers in their cave. But they see he is alone and start to chase him.

la route

Il s'enfuit en courant le long d'une route,
He runs away along a road,

le pont

traverse un pont
crosses over a bridge

le carrefour

et arrive à un carrefour.
and reaches a crossroads.

le poteau indicateur

le chemin

la haie

Nom s'arrête devant un poteau indicateur, descend un chemin au pas de course et passe à travers une haie à quatre pattes.
Noun stops to read a sign post, runs on down a path and crawls through a hedge.

le bois

Il continue sa course vers un bois.
He runs towards a wood.

la rivière

Puis il arrive à une rivière
Then he comes to a river

le radeau

qu'il traverse sur un radeau.
and paddles across on a raft.

la chute d'eau

Il évite de justesse une chute d'eau,
He just misses a waterfall,

la colline

gravit en courant une colline
hurries up a hill

la clôture

et saute par dessus une clôture.
and jumps over a fence.

le canal

Il s'arrête au bord d'un canal,
Noun stops by a canal,

la péniche

saute au passage sur une péniche
leaps on to a barge

l'écluse

et en redescend à une écluse.
and jumps off again at a lock.

la barrière

les tentes

la corde

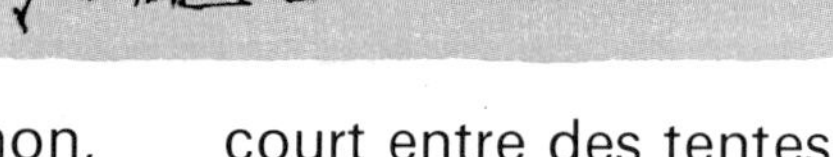

Nom franchit une barrière à califourchon,
Noun climbs over a gate,

court entre des tentes
hurries past some tents

et trébuche sur une corde.
and trips over a rope.

la roulotte

le ruisseau

les pierres d'ungué

Il devance une roulotte
He runs past a caravan,

et il arrive à un ruisseau qu'il traverse grâce aux pierres d'un gué.
reaches a stream and crosses over by the stepping stones.

le barrage

le moulin

la forêt

A toute vitesse, il traverse un barrage,
He dashes across a dam,

passe devant un moulin
past a windmill

et entre dans une fôret.
and into a forest.

la montagne

le téléphérique

la neige

Il commence l'escalade d'une montagne, puis prend un téléphérique et à l'arrivée fait quelques pas dans la neige.
He starts to climb a mountain, then rides in a cable car and steps out into snow.

les skis

la luge

le mur

Il essaye des skis,
He tries on some skis,

redescend la pente en luge
slides down on a toboggan

et franchit un mur.
and then climbs over a wall.

la pièce

la lumière

le commissariat

Nom se précipite dans une pièce obscure, et allume la lumière. Les contrebandiers sont pris: ils sont au commissariat.
Noun runs into a dark room and switches on the light. The smugglers are caught in a police station.

L'Inspecteur Nom au zoo

Inspector Noun at the zoo

Le lion du zoo s'est échappé de sa cage.
Quel chemin l'Inspecteur Nom doit-il prendre pour le retrouver?

At the zoo the lion has escaped from its cage. Which path does Noun go along to find it?

l'hippopotame
le rhinocéros
le lion
le zèbre
le buffle
le renne
le panda
les chèvres
les ours
le porc-épic
le pélican
le castor
les singes
e perroquet
le toucan
le loup
la tortue
l'aigle

L'Inspecteur Nom cherche des indices

Inspector Noun looks for clues

L'Inspecteur Nom ouvre la porte de son bureau.
"Quelqu'un est passé par ici" se dit-il, et il cherche des indices de cette "visite".

Noun opens the door of his office. "Someone has been in here," he thinks and looks for clues.

la photographie
la canne à pêche
le store
le calendrier
la poignée
le trou de la serrure
l'ordinateur
la carte
globe terrestre
le plancher
le placard
le téléphone
le tapis
le magnétophone
la machine à ecrire
le bureau
le parapluie
la corbeille à papier
les plantes
la bibliothèque

le plancher

Il observe le plancher,
He looks at the floor,

le tiroir

trouve un tiroir ouvert
finds an open drawer

la montre

et ramasse une montre.
and picks up a watch.

la clé

Il trouve une clé,
He finds a key,

le mouchoir

un mouchoir
a handkerchief

la lampe électrique

et une lampe électrique.
and a torch.

le stylo

Quelqu'un s'est servi de son stylo,
Someone has used his pen,

le timbre

a volé un timbre
stolen a stamp

l'enveloppe

et ouvert une enveloppe.
and opened an envelope.

le carnet

Quelqu'un a lu son carnet,
Someone has read his notebook,

l'ordinateur

joué avec son ordinateur
played with his computer

la calculatrice

et fait tomber sa calculatrice.
and dropped his calculator.

le crayon

Quelqu'un a cassé son crayon,
Someone has broken his pencil,

la bouteille

vidé sa bouteille,
finished his drink

le sandwich

et mangé son sandwich.
and eaten his sandwich.

marteau
le pinceau
la scie
tournevis
les assiettes
les tasses
les soucoupes
les allumettes
les couteaux
les fourchettes
les cuillères
les verres
le sifflet
la cruche
les épingles de sûreté
les bandages
la trousse de secours
le tourne-disque
les disques
la loupe
les jumelles
l'appareil de photo
les menottes
la ficelle
les clous
la peinture
le réveil
l'argent
les papiers
les livres
les ciseaux
le canif
l'épée
la hâche

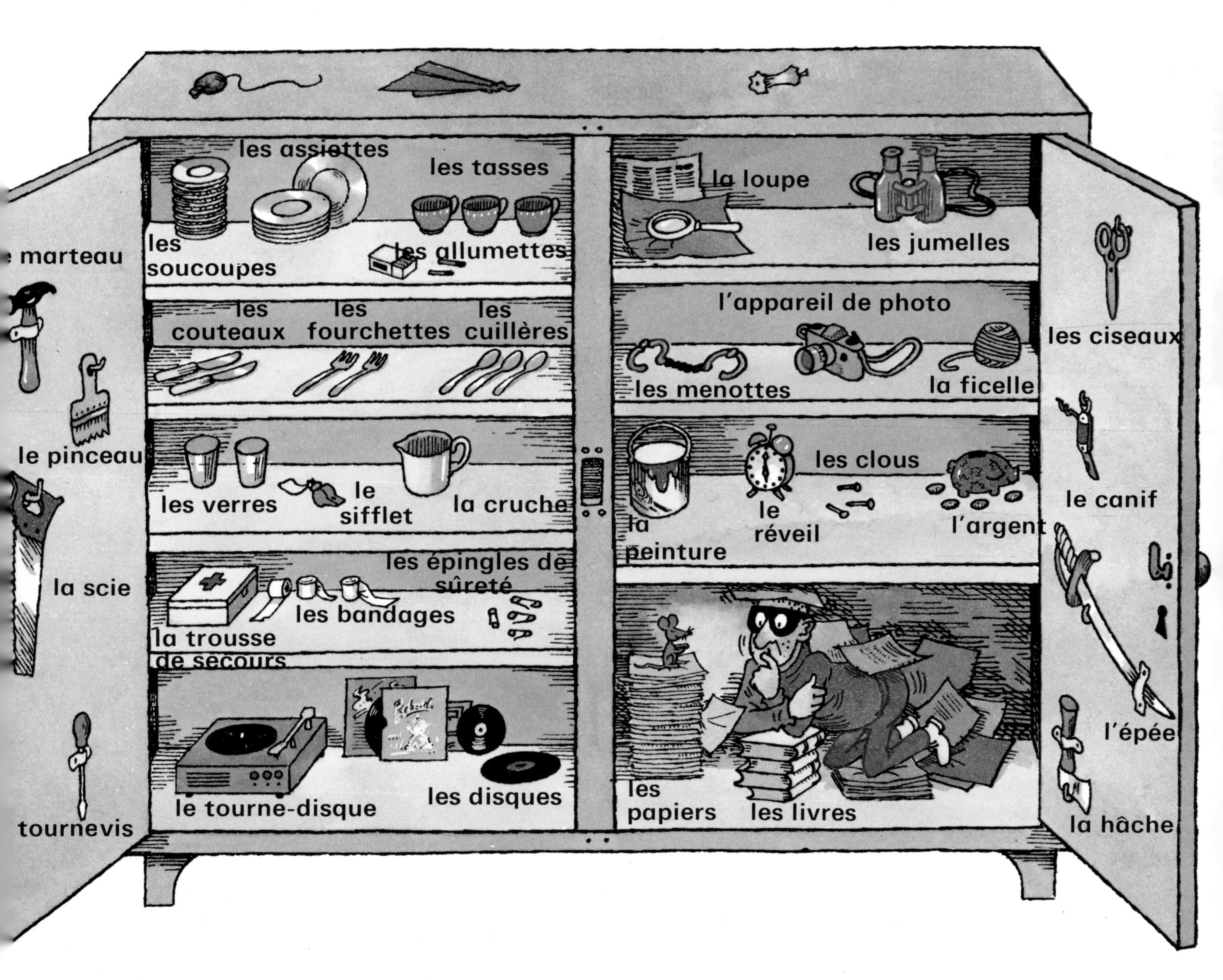

Puis il regarde dans son placard et découvre le cambrioleur.
Then he looks in his cupboard and finds the burglar.

L'Inspecteur Nom et l'espion spatial

Inspector Noun and the space spy

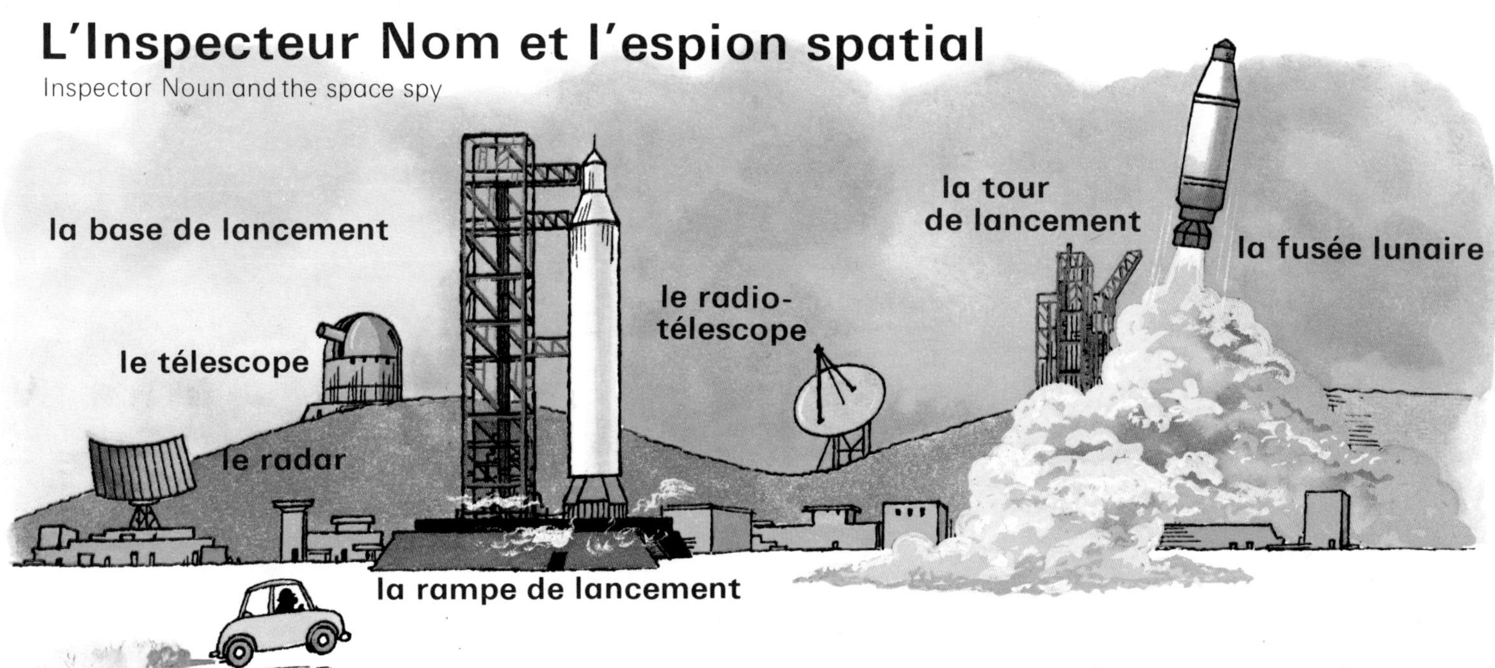

L' Inspecteur Nom arrive à la base de lancement au moment où une fusée décolle. Il sait qu'il y a un espion à bord.
Noun reaches the space launch station just as a rocket blasts off. He knows there is a spy on board.

le costume de cosmonaute

les astronautes

la rampe de lancement

Il met un costume de cosmonaute, rencontre deux astronautes et on l'emmène à la rampe de lancement.
He puts on a space suit, meets two astronauts and is taken to the launch pad.

l'engin spatial

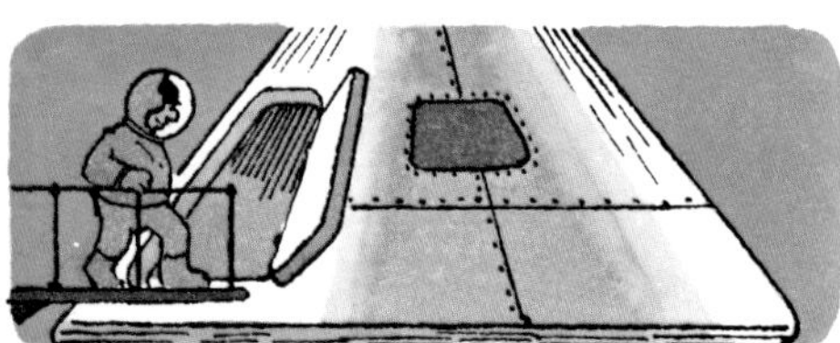

Il monte dans l'engin spatial,
He goes into the space craft,

la couchette

s'allonge sur une couchette
lies on a couch

la fusée

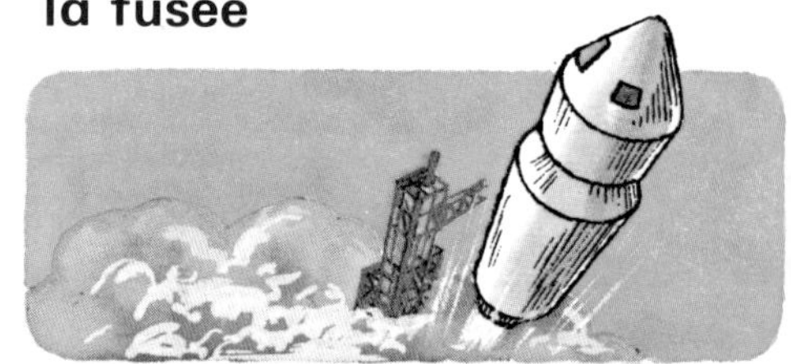

et la fusée décolle.
and the rocket takes off.

la terre

Il voit la terre sous lui,
He sees the earth below

le soleil

et regarde le soleil
and looks at the sun

les étoiles

et les étoiles.
and the stars.

la navette spatiale

A toute vitesse, il dépasse une navette spatiale,
He whizzes past a space shuttle,

le satellite

un satellite
a satellite

la station orbitale

et une station orbitale.
and a space station.

Nom atterrit sur la lune. L'autre fusée y est déjà.
Noun lands on the moon. The other rocket is there.

la jeep lunaire

la poussière lunaire

le rocher lunaire

Il fait un tour en jeep lunaire, voit des empreintes dans la poussière lunaire et capture l'espion près d'un rocher lunaire.
He rides on a moon buggy, sees footprints in the moon dust and catches the spy by a moon rock.

l'espace

Il repart dans l'espace.
He takes off into space again.

le météore

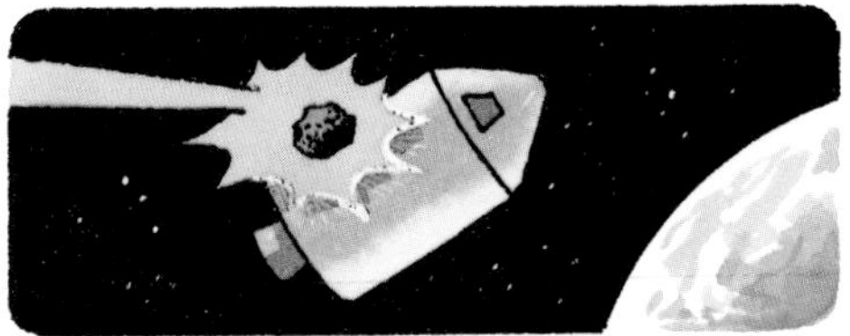

Un météore heurte le module.
The module is hit by a meteor.

la marche dans l'espace

Nom marche dans l'espace.
Noun goes for a space walk.

l'antenne

Il répare une antenne.
He mends an antenna.

l'orbite

Le module rentre dans l'orbite terrestre
The module goes into orbit

la mer

et ils tombent dans la mer.
and they splash down in the sea.

l'ogive

Ils sortent de l'ogive.
They climb out of the nose cone.

les hommes-grenouilles

Des hommes-grenouilles sont là pour les aider.
Frogmen are there to help them.

la mission

La mission est accomplie.
The mission is safely over.

INDEX

On this page is the start of the alphabetical list of all the single words on the pictures in this book. The French word comes first, then there is its pronunciation in *italics*, followed by the English translation.
There are some sounds in the French language which are quite different from any sounds in English. The pronunciation is a guide to help you say the French words correctly. They may look funny or strange. Just read them as if they are English words, except for these special rules:

g – is said like *g* in *g*ame.
j – is said like *s* in trea*s*ure
r – is made by a roll in the back of your mouth and sounds a little like gargling. When there is an *r* in the pronunciation guide, it is always said like this, except when it is in brackets, like this *(r)*
(n) – means that the *n* is not said but the vowel before it is nasalised. This means that you make the sound through your nose and your mouth at the same time. There are no sounds like this in English, so you have to hear someone say them in French before you can pronounce them correctly.
e – is said like the 'e' in 'ten' except when followed by 'r'
er – sounds like the *'er'* in 'h*er*' except that the *'r'* is pronounced
e(r) – means that the *e* sounds like the *e* in *the* (not *thee*). The *r* is not said
ew – is a sound which we do not have in English. To make it, round your lips as if to say *oo*, then try to say *ee*
a – is said a little longer than *a* in *cat* but not as long as the *a* in *car*
ay – is like *a* in *date*

l'abreuvoir (m)	*la bre(r)-vwar*	water trough
les abricots (m)	*lay za-bree-co*	apricots
l'aéroport (m)	*la-ay-ro-por*	airport
les agneaux (m)	*lay za-nyo*	lambs
l'aigle (m)	*lay-gl*	eagle
l'aile (f)	*layl*	wing
les algues (f)	*lay zalg*	seaweed
les allumettes (f)	*lay za-lew-met*	matches
l'ambulance (f)	*la(n)-bew-la(n)ce*	ambulance
l'ananas (m)	*la-na-na*	pineapple
l'ancre (f)	*la(n)-cr*	anchor
l'âne (m)	*lan*	donkey
les anoraks (m)	*lay za-no-rack*	anoraks
l'antenne (f)	*la(n)-ten*	antenna
l'appareil de photo (m)	*la-pa-rey de(r) fo-to*	camera
l'argent (m)	*lar-ja(n)*	money
l'armoire (f)	*lar-mwar*	wardrobe
l'arrêt d'autobus (m)	*la-ray do-toh-bewce*	bus stop
arrêter	*a-re-tay*	to stop
l'arrière (m)	*la-ree-air*	stern
l'ascenseur (m)	*la-sa(n)-ser*	lift
l'aspirateur (m)	*la-spee-ra-ter*	vacuum cleaner
s'asseoir	*sa-swar*	to sit
les assiettes (f)	*lay za-see-et*	plates
les astronautes (m)	*lay zass-tro-not*	astronauts
attendre	*a-ta(n)dr*	to wait
attraper	*a-tra-pay*	to catch
aussi	*o-see*	also
l'autobus (m)	*loh-toh-bewce*	bus
les autruches (f)	*lay zo-trewsh*	ostriches
aux	*oh*	at
l'avant (m)	*la-va(n)*	bow (of ship)
avec	*a-veck*	with
avec colère	*a-veck co-lair*	angrily
l'avion (m)	*la-vee-o(n)*	plane
l'avion a reaction (m)	*la-vee-o(n) na ray-ack-syo(n)*	jet
le bac à voitures	*le(r) ba ca vwa-tewr*	car ferry
le bacon	*le(r) ba-co(n)*	bacon
se bagarrer	*se(r) ba-ga-ray*	to fight
se balancer	*se(r) ba-la(n)-say*	to swing
les balançoires (f)	*lay ba-la-(n)-swar*	swings
le balcon	*le(r) bal-co(n)*	balcony
le ballon	*le(r) ba-lo(n)*	ball, balloon
les bananes (f)	*lay ba-nan*	bananas
les bandages (m)	*lay ba(n)-daj*	bandages
les barbes (f)	*lay barb*	beards
le barrage	*le(r) ba-raj*	dam
les barres d'or (f)	*lay bar dor*	gold bars
la barrière	*la ba-ree-air*	gate
la base de lancement space	*la baz de(r) la(n)ce-ma(n) spass*	space launch station
le bastingage	*le(r) bass-ta(n)-gaj*	railings
le bateau	*le(r) ba-toh*	ship
le bateau à moteur	*le(r) ba-toh a mo-ter*	motor boat
le bateau à rames	*le(r) ba-toh a ram*	rowing boat
le bateau de pêche	*le(r) ba-toh de(r) pesh*	fishing boat
le bébé	*le(r) bay-bay*	baby
le berger	*le(r) bair-jay*	shepherd
la betterave	*la bet-rav*	beetroot
le beurre	*le(r) ber*	butter
la bibliothèque	*la bee-blee-o-teck*	bookcase
la bicyclette	*la bee-see-clet*	bicycle
la bière	*la bee-air*	beer
les bijoux	*lay bee-joo*	jewellery
le billet	*le(r) bee-ay*	ticket
les biscuits (m)	*lay beece-kwee*	biscuits
blanc	*bla(n)*	white
bleu	*ble(r)*	blue
le bocal (m)	*le(r) bo-cal*	jar
boire	*bwar*	to drink

le bois	*le(r) bwa*	wood
les boîtes (f)	*lay bwat*	boxes
les boîtes de conserve	*lay bwat de(r) co(n)-sairv*	tins
les bonbons (m)	*lay bo(n)-bo(n)*	sweets
les bottes (f)	*lay bot*	boots
le boucher	*le(r) boo-shay*	butcher
bouclé	*boo-clay*	curly
la bouée	*la boo-ay*	buoy
le boulanger	*le(r) boo-la(n)-jay*	baker
la bouteille	*la boo-tay*	bottle
les briques (f)	*lay breek*	bricks
brosser	*bro-say*	to brush
brun	*bra(n)*	brown
brusquement	*brewsk-ma(n)*	suddenly
bruyamment	*brew-ya-ma(n)*	loudly
les bûches	*lay bewsh*	logs
le buffle	*le(r) bew-fl*	buffalo
le bureau	*le(r) bew-roh*	desk, office
la cabine	*la ca-been*	cabin
la cabine d'équipage	*la ca-been day-kee-paj*	crew's cabin
se cacher	*se(r) ca-shay*	to hide
le café	*le(r) ca-fay*	café
la cage	*la caj*	cage
la caisse	*la kess*	cash desk
les caisses (f)	*lay kess*	crates
la calculatrice	*la cal-cew-la-treece*	calculator
la cale	*la cal*	hold (of ship)
le calendrier	*le(r) ca-la(n)-dree-ay*	calendar
le cambrioleur	*le(r) ca(n)-bree-o-ler*	thief
le camion	*le(r) ca-mee-o(n)*	lorry, truck
le camion-citerne	*le(r) ca-mee-o(n) see-tairn*	fuel tanker
la camionnette	*la ca-mee-o-net*	van
le canal	*le(r) ca-nal*	canal
les canards (m)	*lay ca-nar*	ducks
les canetons (m)	*lay can-to(n)*	ducklings
le canif	*le(r) ca-neef*	pen knife
la canne à pêche	*la can a pesh*	fishing rod
le canoë	*le(r) ca-no-ay*	canoe
le canot à moteur	*le(r) ca-no a mo-ter*	motor boat
les canots de sauvetage (m)	*lay ca-no-de(r) sove-taj*	lifeboats
les capes (m)	*lay cap*	cloaks
le capitaine	*le(r) ca-pee-ten*	captain
la cargaison	*la car-gay-zo(n)*	cargo
le cargo	*le(r) car-go*	cargo boat
le carnet	*le(r) car-nay*	notebook
les carottes (f)	*lay ca-rot*	carrots
le carrefour	*le(r) car-foor*	cross road
la carte	*la cart*	map
la carte d'embarquement	*la cart da(n)-bark-ma(n)*	pass
les casquettes (f)	*lay cass-ket*	caps
les casseroles (f)	*lay cass-roll*	saucepans
le castor	*le(r) ca-stor*	beaver
la caverne	*la ca-vairn*	cave
la ceinture de securité	*la sa(n)-tewr de(r) say-kew-ree-tay*	safety belt
le céleri	*le(r)sayl-ree*	celery
les cerises (f)	*lay se(r)-reez*	cherries
la chaîne	*la shen*	chain
la chaise	*la shayz*	chair
la chambre	*la sha(n)br*	bedroom
le chameau	*le(r) sha-moh*	camel
les champignons (m)	*lay sha(n)-peen-yo(n)*	mushrooms
les chandails (m)	*lay sha(n)-die*	cardigans
chanter	*sha(n)-tay*	to sing
les chapeaux (m)	*lay sha-poh*	hats
le charbon	*le(r) shar-bo(n)*	coal
le chariot	*le(r) sha-ree-o*	trolley
la charrette	*la sha-ret*	cart
la charrue	*la sha-rew*	plough
le chat	*le(r) sha*	cat
le château de sable	*le(r) sha-toh de(r) sabl*	sandcastle
la chaudière	*la sho-dee-air*	boiler
la chaufferie	*la sho-free*	engine room
les chausettes (f)	*lay sho-set*	socks
les chaussures (f)	*lay sho-sewr*	shoes
le chef cuisinier	*le(r) shay kwee-za(n)-nee-ay*	chef
le chemin	*le(r) she(r)-ma(n)*	path
la cheminée	*la she(r)-mee-nay*	chimney, fireplace, funnel
les chemises (f)	*lay she(r)-meez*	shirts
les chemises de nuit (f)	*lay she(r)-meez de(r) nwee*	nightdresses
les chemisiers (m)	*lay she(r)-meez-yay*	blouses
les chevaux (m)	*lay she(r)-voh*	horses
les chèvres (f)	*lay she-vr*	goats
le chien de berger	*le(r) shee-a(n) de(r) bair-jay*	sheepdog
le chocolat	*le(r) sho-co-la*	chocolate
le chou-fleur	*le(r) shoo-fler*	cauliflower
les choux (m)	*lay shoo*	cabbages
les choux de Bruxelles (m)	*lay shoo de(r) brew-sell*	brussel sprouts
la chute d'eau	*la shewt doh*	waterfall
le cinéma	*le(r) see-nay-ma*	cinema
les ciseaux (m)	*lay see-zoh*	scissors
les citrones (m)	*lay see-tro(n)*	lemons
la clé	*la clay*	key
la clôture	*la cloh-tewr*	fence, railings
les clous (m)	*lay cloo*	nails
les cochons (m)	*lay co-sho(n)*	pigs
la coiffeuse	*la kwa-fe(r)z*	dressing table
les collants (m)	*lay co-la(n)*	tights
la colline	*la co-leen*	hill
les commandes (f)	*lay co(n)-ma(n)d*	controls
le commissariat	*le(r) co-mee-sa-ree-a*	police station
conduire	*co(n)-dweer*	to drive
la confiture	*la co(n)-fee-tewr*	jam
le congélateur	*le(r) co(n)-jay-la-ter*	freezer
construire	*co(n)-strweer*	to build
le contrebandier	*le(r) co(n)-tr-ba(n)-dee-ay*	smuggler
le coq	*le(r) cock*	cockerel
la corbeille à papier	*le(r) cor-bay a pa-pee-ay*	wastepaper basket
la corde	*la cord*	rope
le costume de cosmonaute	*le(r) cos-tewm de(r) coz-mo-not*	space suit
les costumes (m)	*lay cos-tewm*	suits
la couchette	*la coo-shet*	bunk, couch
coudre	*coo-dr*	to sew
le couloir	*le(r) coo-lwar*	corridor, gangway

le couloir amovible	*le(r) coo-lwar a-mo-veebl*	passenger bridge
coupér	*coo-pay*	to cut
la cour de recréation	*la coor de(r) ray-cray-a-see-o(n)*	playground
courir	*coo-reer*	to run
le coussin	*le(r) coo-sa(n)*	cushion
les couteaux (m)	*lay coo-toh*	knives
la couverture	*la coo-vair-tewr*	blanket
le crabe	*le(r) crab*	crab
les cravates (f)	*lay cra-vat*	ties
le crayon	*le(r) cray-o(n)*	pencil
le cresson	*le(r) cre(r)-so(n)*	watercress
creuser	*cre(r)-zay*	to dig
les crocodiles (m)	*lay cro-co-deel*	crocodiles
la cruche	*la crewsh*	jug
les cuillères (f)	*lay kwee-yair*	spoons
la cuisine	*la kwee-zeen*	kitchen
la cuisinière	*la kwee-za(n)-yair*	cooker
la dame	*la dam*	woman
dans	*da(n)*	into
danser	*da(n)-say*	to dance
de	*de(r)*	of
le décollage	*le(r) day-co-laj*	take-off
derrière	*day-ree-air*	behind
les diamants (m)	*lay dee-a-ma(n)*	diamonds
les dindons (m)	*lay da(n)-do(n)*	turkeys
dire	*deer*	to tell
diriger	*dee-ree-jay*	to conduct
les disques (m)	*lay deesk*	records
donner à manger	*do-nay a ma(n)-jay*	to feed
donner un coup de pied	*do-nay a(n) coo de(r) pee-ay*	to kick
donner un coup de poing	*do-nay a(n) coo de(r) pwa(n)*	to hit
dormir	*dor-meer*	to sleep
la douane	*la dwan*	customs
doucement	*dooce-ma(n)*	gently
la douche	*la doosh*	shower
le drapeau	*le(r) dra-poh*	flag
l'échelle (f)	*lay-shell*	ladder
l' écluse (f)	*lay-clewz*	lock
l'école (f)	*lay-coll*	school
l'écoutille (f)	*lay-coo-tee-ye(r)*	hatch (of ship)
écrire	*ay-creer*	to write
l'écurie (f)	*lay-kew-ree*	stable
l'église (f)	*lay-gleez*	church
l'éléphant (m)	*lay-lay-fa(n)*	elephant
l'élévateur (m)	*lay-lay-va-ter*	elevator
elle	*ell*	she
emmener	*a(n)m-nay*	to take to (or to lead)
en bas	*a(n) ba*	down
l'enclos (m)	*la(n)-cloh*	yard
en face de	*a(n) fass de(r)*	in front of
enfermer à clé	*a(n)-fair-may a clay*	to lock in
l'engin spatial (m)	*la(n)-ja(n) spa-see-al*	space craft
entre	*a(n)tr*	between
l'entrepôt (m)	*la(n)-tr-poh*	warehouse
entrer	*a(n)-tray*	to walk into
l'envelope (f)	*la(n)-ve(r)-lop*	envelope
l'épave (f)	*lay-pav*	wreck (ship)

l'épée (f)	*lay-pay*	sword
les épingles de sûreté	*lay zay-pa(n)-gl de(r) sewr-tay*	safety pins
l'épouvantail (m)	*lay-poo-va(n)-tie*	scarecrow
l'escalier (m)	*less-ca-lee-ay*	stairs
l'escalier de secours (m)	*less-ca-lee-ay de(r) se(r)-coor*	fire escape
l'espace (m)	*less-pass*	space
l'étable (f)	*lay-tabl*	cowshed
les étoiles (f)	*lay zay-twal*	stars
eux	*e(r)*	them
l'évier (m)	*lay-vyay*	sink
examiner	*egg-za-mee-nay*	to examine
faire	*'air*	to make
faire la course	*fair la coorce*	to race
faire la cuisine	*fair la kwee-zeen*	to cook
faire tomber	*fair to(n)-bay*	to drop
les falaises (f)	*lay fa-lays*	cliffs
la fanfare	*la fa(n)-far*	band
la farine	*la fa-reen*	flour
le fauteuil	*le(r) fo-te(r)-ye(r)*	arm chair
les faux-nez (m)	*lay fo-nay*	false noses
la ferme	*la fairm*	farmhouse
fermer	*fair-may*	to close
le fermier	*le(r) fair-mee-ay*	farmer
la fermière	*la fair-mee-air*	farmer's wife
les feux	*lay fe(r) rooj*	traffic lights
la ficelle	*la fee-sell*	string
les filles (f)	*lay fee-ye(r)*	girls
fin	*fa(n)*	thin
les flamants (m)	*lay fla-ma(n)*	flamingos
la flaque d'eau	*la flack doh*	rock pool
les fleurs	*lay fler*	flowers
le foin	*le(r) fwa(n)*	hay
la forêt	*la fo-ray*	forest
la foreuse	*la foh-re(r)z*	digger (road
les foulards (m)	*lay foo-lar*	scarves
les fourchettes (f)	*lay foor-shet*	forks
les fours (m)	*lay foor*	ovens
les fraises (f)	*lay frayz*	strawberries
les framboises (f)	*lay fra(n)-bwaz*	raspberries
le frigidaire	*le(r) free-jee-dair*	refrigerator
le fromage	*le(r) fro-maj*	cheese
frotter	*fro-tay*	to rub
les fruits (m)	*lay frwee*	fruit
la fusée	*la few-zay*	rocket
la fusée lunaire	*la few-zay lew-nair*	moon rocket
les galets (m)	*lay ga-le*	pebbles
les gants (m)	*lay ga(n)*	gloves
le garçon	*le(r) gar-so(n)*	waiter
les garçons (m)	*lay gar-so(n)*	boys
le gardien	*le(r) gar-dee-a(n)*	keeper
les gâteaux (m)	*lay ga-toh*	cakes
le gendarme	*le(r) ja(n)-darm*	policeman
la girafe	*la jee-raf*	giraffe
la glace	*la glass*	mirror
glisser	*glee-say*	to slide
le globe terrestre	*le(r) globe tay-restr*	globe
le gouvernail	*le(r) goo-vair-nye*	rudder
grand	*gra(n)*	big
la grange	*la gra(n)j*	barn
les grilles (f)	*lay gree-ye(r)*	gates
gris	*gree*	grey
la grue	*la grew*	crane
la hâche	*la ash*	axe

la haie	*la ay*	hedge
le hangar	*le(r) a(n)-gar*	hangar, shed
les haricots (m)	*lay a-ree-coh*	beans
l'hélice (f)	*lay-leece*	propellor
l'hélicoptère (m)	*lay-lee-cop-tair*	helicopter
l'hippopotame (m)	*lee-po-po-tam*	hippopotamus
l'homme (m)	*lom*	man
les hommes-grenouilles (m)	*lay zom-gre(r)-nwee*	frogmen
l'hôpital (m)	*lo-pee-tal*	hospital
l'hôtel (m)	*lo-tell*	hotel
l'hôtesse de l'air (f)	*lo-tess de(r) lair*	air hostess
le hovercraft	*le(r) o-vair-craft*	hovercraft
les hublots (m)	*lay ew-bloh*	port holes
l'hydrofoil (m)	*lee-dro-fwal*	hydrofoil
il	*eel*	he, it
ils	*eel*	they
les imperméables (m)	*lay za(n)-pair-may-abl*	raincoats
le jambon	*le(r) ja(n)-bo(n)*	ham
le jardin public	*le(r) jar-da(n) pew-bleek*	park
jaune	*jone*	yellow
je	*je(r)*	I
les jeans (m)	*lay jeans*	jeans
la jeep lunaire	*la jeep lew-nair*	moon buggy
la jetée	*la je(r)-tay*	jetty
jouer	*joo-ay*	to play
joyeusement	*jwa-ye(r)z-ma(n)*	happily
les jumelles (f)	*lay jew-mel*	binoculars
les jupes (f)	*lay jewp*	skirts
le kangourou	*le(r) ka(n)-goo-roo*	kangaroo
les kilts (m)	*lay keelt*	kilts
l' (le or la)	*l*	it
la	*la*	her, it, the
le lac	*le(r) lack*	lake
le lait	*le(r) lay*	milk
la laitue	*la lay-tew*	lettuce
la lampadaire	*la la(n)-pa-dair*	lamp stand
la lampe	*la la(n)p*	lamp
la lampe électrique	*la la(n)p ay-leck-treek*	torch
lancer	*la(n)-say*	to throw
laver	*la-vay*	to clean
se laver	*se(r) la-vay*	to wash
le lave-vaisselle	*le(r) lav-vay-sell*	dishwasher
le	*le(r)*	him, it, the
les légumes (m)	*lay lay-gewm*	vegetables
lentement	*la(n)t-ma(n)*	slowly
les	*lay*	them
se lever	*se(r) le(r)-vay*	to get up
le lion	*le(r) lyo(n)*	lion
lire	*leer*	to read
le lit	*le(r) lee*	bed
le lit d'enfant	*le(r) lee da(n)-fa(n)*	cot
les livres (m)	*lay lee-vr*	books
long	*lo(n)*	long
le loup	*le(r) loo*	wolf
la loupe	*la loop*	magnifying glass
la luge	*la lewj*	toboggan
la lumière	*la lew-mee-air*	light
les lunettes de soleil (f)	*lay lew-net de(r) so-lay*	sun glasses
lutter	*lew-tay*	to wrestle

la machine à écrire	*la ma-sheen a ay-creer*	typewriter
la machine à laver	*la ma-sheen a la-vay*	washing machine
le magnétophone	*le(r) ma-nyay-toh-fon*	tape recorder
manger	*ma(n)-jay*	to eat
les manteaux (m)	*lay ma(n)-toh*	coats
les manteaux de fourrure (m)	*lay ma(n)-toh de(r) foo-rewr*	fur coats
le maquillage (m)	*le(r) ma-kee-aj*	make-up
le marché	*le(r) mar-shay*	market
la marche dans l'espace	*la marsh da(n) less-pass*	space walk
marcher	*mar-shay*	to march
marcher à quatre pattes	*mar-shay a ca-tr pat*	to crawl
les marches	*lay marsh*	steps
la mare	*la mar*	pond
le marteau	*le(r) mar-toh*	hammer
le mât	*le(r) ma*	mast
le matelot	*le(r) mat-loh*	sailor
le mécanicien	*le(r) may-ca-nee-see-a(n)*	engineer
le melon	*le(r) me(r)-lo(n)*	melon
les menottes (f)	*lay me(r)-not*	handcuffs
la mer	*la mair*	sea
le météore	*le(r) may-tay-or*	meteor
mettre	*met-tr*	to put on
le miel	*le(r) myel*	honey
la mission	*la mee-see-o(n)*	mission
le module de commande	*la mo-dewl-de(r) co-ma(n)d*	command module
la module lunaire	*la mo-dewl lew-nair*	lunar module
moi	*mwa*	me
la montagne	*la mo(n)-ta(n)-ye(r)*	mountain
monter à cheval	*mo(n)-tay a she(r)-val*	to ride
la montre	*la mo(n)-tr*	watch
le moteur	*le(r) mo-ter*	engine
la moto	*la mo-toh*	motor bike
le mouchoir	*le(r) moo-shwar*	handkerchief
la mouette	*la moo-et*	gull
le moulin	*le(r) moo-la(n)*	windmill
les moustaches (f)	*lay moo-stash*	moustaches
les moutons (m)	*lay moo-to(n)*	sheep
le mur	*le(r) mewr*	wall
nager	*na-jay*	to swim
les navets (m)	*lay na-ve*	turnips
la navette spatiale	*la na-vet spa-see-al*	space shuttle
la neige	*la nej*	snow
noir	*nwar*	black
nous	*noo*	we
les oeufs (m)	*lay ze(r)*	eggs
l'office (f)	*lo-feece*	store room
l'ogive (f)	*lo-jeev*	nose cone
les oies (f)	*lay wa*	geese
les oignons (m)	*lay zo(n)-yo(n)*	onions
les oisillons (m)	*lay wa-zee-yo(n)*	goslings
les oranges (f)	*lay zo-ra(n)j*	oranges
l'orbite (f)	*lor-beet*	orbit
l'ordinateur (m)	*lor-dee-na-ter*	computer
les ours (m)	*lay zoorce*	bears
l'ours blanc (m)	*loorce bla(n)*	polar bear
ouvrir	*oo-vreer*	to turn on, to open

la paille	*la pa-ye(r)*	straw
le pain	*le(r) pa(n)*	bread
le palier	*le(r) pal-yay*	landing
le pamplemousse	*le(r) pa(n)ple(r)-moose*	grapefruit
le panda	*le(r) pa(n)-da*	panda
le panier	*le(r) pan-yay*	basket
les pantalons (m)	*lay pa(n)-ta-lo(n)*	trousers
les pantoufles (f)	*lay pa(n)-toofl*	slippers
les papiers (m)	*lay pap-yay*	papers
par	*par*	by
le parachute	*le(r) pa-ra-shewt*	parachute
le parapluie	*le(r) pa-ra-plwee*	umbrella
le parasol	*le(r) pa-ra-sol*	beach umbrella, sun shade
parler	*par-lay*	to talk
le passage clouté	*le(r) pa-saj cloo-tay*	crossing
les passagers (m)	*lay pa-sa-jay*	passengers
le passeport	*le(r) pas-por*	passport
la passerelle	*la pass-rell*	bridge
patiner	*pa-tee-nay*	to skate
les patins à roulettes (m)	*lay pa-ta(n) na roo-let*	roller skates
le pavillon	*le(r) pa-vee-yo(n)*	flag
la pêche	*la pesh*	peach
peindre	*pa(n)-dr*	to paint
la peinture	*la pa(n)-tewr*	paint
le pélican	*le(r) pay-lee-ca(n)*	pelican
la pelle	*la pell*	spade
la pendule	*la pa(n)-dewl*	clock
la péniche	*la pay-neesh*	barge
la perceuse	*la pair-se(r)z*	drill
le perroquet	*le(r) pe-ro-ke*	parrot
les perruques (f)	*lay pe-rewk*	wigs
les petits pains	***lay per(r)-tee pa(n)***	**bread rolls**
les petits pois (m)	*lay pe(r)-tee pwa*	peas
le pétrolier	*le(r) pay-tro-lyay*	oil tanker
le phare	*le(r) far*	light house
les phoques (m)	*lay fock*	seals
la photographie	*la fo-toh-gra-fee*	photograph
le pique-nique	*le(r) peek-neek*	picnic
la pièce	*la pee-ess*	room
la pièce d'eau	*la pee-ess doh*	lake
les pierres d'ungué	*lay pee-air da(n)-gay*	stepping stones
le pilote	*le(r) pee-lot*	pilot
le pinceau	*le(r) pa(n)-soh*	brush
les pingouins (m)	*lay pa(n)-gwa(n)*	penguins
la piste d'envol	*la peest da(n)-vol*	runway
le placard	*le(r) pla-car*	cupboard
la place	*la plass*	seat
la plage	*la plaj*	beach
la planche d'embarquement	*la pla(n)sh da(n)-bark-ma(n)*	gang plank
le plancher	*le(r) pla(n)-shay*	floor
les plantes (f)	*lay pla(n)t*	plants
plonger	*plo(n)-jay*	to dive
les poches (f)	*lay posh*	pockets
la poêle	*la pwal*	frying pan
la poignée	*la pwa-nyay*	door handle
pointu	*pwa(n)-tew*	pointed
le poireau	***le(r) pwa-ro***	**leek**
les poires (f)	*lay pwar*	pears
le poisson	*le(r) pwa-so(n)*	fish
la pomme	*la pom*	apple
les pommes de terre (f)	*lay pom de(r) tair*	potatoes
le pont	*le(r) po(n)*	bridge, deck
le porc-épic	*le(r) por-cay-peek*	porcupine
les porcelets (m)	*lay por-se(r)-le*	piglets
la porcherie	*la porsh-ree*	pigsty
porter	*por-tay*	to carry
le poste de pilotage	*le(r) post de(r) pee-lo-taj*	flight deck
le potager	*le(r) po-ta-jay*	vegetable garden
le poteau indicateur	*le(r) po-toh a(n)-dee-ca-ter*	sign post
le poulailler	*le(r) poo-lay-yay*	hen house
le poulain	*le(r) poo-la(n)*	foal
les poules (f)	*lay pool*	hens
le poulet	*le(r) poo-le*	chicken
poursuivre	*poor-swee-vr*	to chase
pousser	*poo-say*	to push
la poussière lunaire	*la poo-see-air lew-nair*	moon dust
les poussins (m)	*lay poo-sa(n)*	chicks
près	*pray*	near
presque	*press-ker(r)*	almost
la prison	*la pree-zo(n)*	prison
la prison pour chiens	*la pree-zo(n) poor shee-a(n)*	dog prison
les prunes (f)	*lay prewn*	plums
les pyjamas (m)	*lay pee-ja-ma*	pyjamas
la queue	*la ke(r)*	tail
le radar	*le(r) ra-dar*	radar
le radeau	*le(r) ra-doh*	raft
le radiateur	*le(r) ra-dee-a-ter*	radiator
le radio-télescope	*le(r) ra-dee-o-tay-less-cop*	radio telescope
les radis (m)	*lay ra-dee*	radishes
les raisins (m)	*lay ray-za(n)*	grapes
ramer	*ra-may*	to row
la rampe de lancement	*la ra(n)p de(r) la(n)ce-ma(n)*	launch pad
rapidement	*ra-peed-ma(n)*	quickly
les rayons (m)	*lay ray-o(n)*	shelves
la réception	*la ray-sep-syo(n)*	reception
réfléchir	*ray-flay-sheer*	to think
regarder	*re(r)-gar-day*	to look
remettre sur pied	*re(r)-metr sewr pee-ay*	to pick up
la remorque	*la re(r)-mork*	trailer
le remorqueur	*le(r) re(r)-mor-ker*	tug (boat)
le renne	*le(r) ren*	reindeer
le réveil	*le(r) ray-vay*	alarm clock
se réveiller	*se(r) ray-vay-ay*	to wake up
le réverbère	*le(r) ray-vair-bair*	lamp post
le rhinocéros	*le(r) ree-no-say-ross*	rhinoceros
les rideaux (m)	*lay ree-doh*	curtains
rire	*reer*	to laugh
la rivière	*la ree-vee-air*	river
les robes (f)	*lay rob*	dresses
les robes de chambre (f)	*lay rob de(r) sha(n)-br*	dressing gowns
le rocher lunaire	*le(r) ro-shay lew-nair*	moon rock
les rochers (m)	*lay ro-shay*	rocks
rond	*ro(n)*	round
les roues (f)	*lay roo*	wheels
rouge	*rooj*	red
le rouleau compresseur	*le(r) roo-loh co(n)-pre-ser*	roller
la roulotte	*la roo-lot*	caravan

la route	*la root*	road
la rue	*la rew*	street
le ruisseau	*le(r) rwee-soh*	stream
les sacs (m)	*lay sack*	bags, sacks
les sacs à main (m)	*lay sa ca ma(n)*	handbags
les sacs à provisions (m)	*lay sa ca pro-vee-zee-o(n)*	shopping bags
la salle à manger	*la sa la ma(n)-jay*	dining room
la salle de bains	*la sal de(r) ba(n)*	bathroom
la salle de départ	*la sal de(r) day-par*	departure lounge
le salon	*le(r) sa-lo(n)*	saloon
les salopettes (f)	*lay sa-lo-pet*	dungarees
le sandwich	*le(r) sa(n)d-weesh*	sandwich
le satellite	*le(r) sa-tay-leet*	satellite
les saucisses (f)	*lay soss-eece*	sausages
sauter	*so-tay*	to jump
sauter à la corde	*so-tay a la cord*	to skip
sautiller	*so-tee-yay*	to hop
le savant	*le(r) sa-va(n)*	scientist
le savon	*le(r) sa-vo(n)*	soap
la scie	*la see*	saw
le seau	*le(r) soh*	bucket
les serpents (m)	*lay sair-pa(n)*	snakes
la serviette	*la sair-vee-et*	towel
ses	*say*	her
les shorts (m)	*lay short*	shorts
le sifflet	*le(r) see-fle*	whistle
le silo	*le(r) see-loh*	silo
les singes (m)	*lay sa(n)j*	monkeys
le ski nautique	*le(r) skee no-teek*	water ski
les skis (m)	*lay skee*	skis
le soleil	*le(r) so-lay*	sun
son	*so(n)*	his
les soucoupes (f)	*lay soo-coop*	saucers
souffler	*soo-flay*	to blow
sourire	*soo-reer*	to smile
sous	*soo*	under
le sous-marin	*le(r) soo-ma-ra(n)*	submarine
le station orbitale	*le(r) sta-see-o(n) or-bee-tal*	space station
la statue	*la sta-tew*	statue
le store	*le(r) stor*	blind
le stylo	*le(r) stee-lo*	pen
le sucre	*le(r) sew-cr*	sugar
suivre la trace	*swee-vr la trass*	to search for
sur	*sewr*	on, over
sur-le-champ	*sewr-le(r)-sha(n)*	soon
la table	*la tabl*	table
le tableau	*le(r) ta-blo*	picture
le tablier	*le(r) ta-blyay*	apron
le tandem	*le(r) ta(n)-dem*	tandem
le tapis	*le(r) ta-pee*	carpet
les tasses (f)	*lay tass*	cups
le taureau	*le(r) toh-roh*	bull
le taxi	*le(r) tack-see*	taxi
les tee-shirts (m)	*lay tee-shirt*	tee-shirts
le téléphérique	*le(r) tay-lay-fay-reek*	cable car
le téléphone	*le(r) tay-lay-fon*	telephone
le télescope	*le(r) tay-less-cop*	telescope
la télévision	*la tay-lay-vee-zee-o(n)*	television
se tenir debout	*se(r) te(r)-neer de(r)-boo*	to stand
les tentes	*lay ta(n)t*	tents
la terre	*la tair*	earth
le tigre	*le(r) tee-gr*	tiger
le timbre	*le(r) ta(n)-br*	stamp
tirer	*tee-ray*	to pull, to shoot
le tiroir	*le(r) tee-rwar*	drawer
les toilettes (f)	*lay twa-let*	toilet
le toit	*le(r) twa*	roof
la tomate	*la toh-mat*	tomato
tomber	*to(n)-bay*	to fall
la tortue	*la tor-tew*	tortoise
le toucan	*le(r) too-ca(n)*	toucan
la tour de contrôle	*la toor de(r) co(n)-trole*	control tower
la tour de lancement	*la toor de(r) la(n)ce-ma(n)*	gantry
le tourne-disque	*le(r) toor-ne(r)-deesk*	record player
le tourne-vis	*le(r) toor-ne(r)-veece*	screwdriver
le tracteur	*le(r) track-ter*	tractor
le train	*le(r) tra(n)*	train
le train de bagages	*le(r) tra(n) de(r) ba-gaj*	baggage train
les transats (m)	*lay tra(n)-sa*	deckchairs
à travers	*a tra-vair*	through
le treuil	*le(r) tre(r)-ye(r)*	winch
tricoter	*tree-co-tay*	to knit
les tricots (m)	*lay tree-coh*	jerseys
tristement	*treest-ma(n)*	sadly
la trottinette	*la tro-tee-net*	scooter
le trou	*le(r) troo*	hole
le trou de la serrure	*le(r) troo de(r) la se-rewr*	keyhole
la trousse de secours	*la trooce de(r) se(r)-coor*	first aid kit
tu	*tew*	you
trouver	*troo-vay*	to find
le tunnel	*le(r) tew-nel*	tunnel
les tuyaux (m)	*lay twee-yoh*	pipes
les uniformes (m)	*layz ew-nee-torm*	uniforms
l'usine (f)	*lew-zeen*	factory
les vaches (f)	*lay vash*	cows
le valet de ferme	*le(r) va-le de(r) fairm*	farm worker
la valise	*la va-leez*	suitcase
le van	*le(r) va(n)*	horse box
les veaux (m)	*lay voh*	calves
le verger	*le(r) vair-jay*	orchard
les verres (m)	*lay vair*	glasses
vers	*vair*	towards
vert	*vair*	green
la viande	*la vee-a(n)d*	meat
vieux	*vee-ye(r)*	old
le vin	*le(r) va(n)*	wine
violemment	*vee-o-la-ma(n)*	loudly
le voilier	*le(r) vwa-lee-ay*	sailing boat
la voiture	*la vwa-tewr*	car
la voiture de course	*la vwa-tewr de(r) coorce*	racing car
la voiture d'enfant	*la vwa-tewr da(n)-fa(n)*	pram
la voiture de pompiers	*la vwa-tewr de po(n)-pee-ay*	fire engine
voler	*vo-lay*	to fly
les voleurs (m)	*lay vo-ler*	robbers, thieves
vous	*voo*	you
le yaourt	*le(r) ya-oort*	yoghurt
le zèbre	*le(r) zebr*	zebra

Pronunciation Guide

On these pages is the guide on how to say all the sentences in French in this book, using the same rules as on page 40.

Page 4 and 5 L'Inspecteur Nom et le mystère du marché

la(n)-speck-tor no(n) ay le(r) mee-stair dew mar-shay
no(n) va oh mar-shay a la re(r)-shairsh da(n) vo-ler.
eel se(r) de(r)-ma(n)d kee a ma(n)-jay lay se(r)-reez, lay frayz ay lay fra(n)-bwaz.
eel re(r)-gard a(n) na-na-na , fay to(n)-bay a(n) me(r)-lo(n) ay ma(n)j ewn pom.
eel pass de(r)-va(n) day zo-ra(n)j, day see-tro(n) ay day za-bree-co.
eel egg-za-meen lay pwar, lay ray-za(n) ay lay ba-nan.
eel sa-ret poor ta-tay ewn pesh, ash-tay a(n) pa(n)-ple(r)-moose ay day prewn kee a ma(n)-jay lay pe(r)-tee pwa, lay a-ree-coh ay la lay-tew.
no(n) re(r)-gard de(r) pre lay pom de(r) tair, lay ca-rot, ay lay shoo.
da(n) sa at eel ay-craz ewn toh-mat, fay to(n)-bay day sha(n)-peen-yo(n) ay ra(n)-vairce le(r) cre(r)-so(n).
eel jet a(n) coo de(r)-ye(r) oh na-ve ay oh shoo de(r) brew-sell ay pass a ca-tr pat de(r)-va(n) lay bet-rav.
eel re(r)-gard a(n) pa-sa(n) le(r) sayl-ree, lay ra-dee ay lay zo(n)-yo(n).
eel gleece sewr a(n) pwa-roh, tray-bewsh sewr a(n) shoo-fler ay day-coo-vr lay vo-ler.

Page 6 and 7 L'Inspecteur Nom et le vol de diamants

la(n)-speck-ter no(n) ay le(r) vol de(r) dee-a-ma(n)
la(n)-speck-ter no(n) co(n)-dwee sa vwa-tewr oh ba-toh. eel mo(n)t sewr la pla(n)sh da(n)-bar-ke(r)-ma(n) ay va par-lay oh ca-pee-tain.
le(r) ca-pee-tain lwee dee ka(n) vo-ler a vo-lay day dee-a-ma(n), may ewn dam la vew sa(n)-fweer.
no(n) a-va(n)ce fewr-teev-ma(n) sewr le(r) po(n) ay say-zee lom. may say posh so(n) veed.
le(r) vo-ler a ca-shay lay dee-a-ma(n) da(n) le(r) ba-toh.
pe(r)-tew lay re(r)-troo-vay.

Page 8 and 9 Le Sergent Verbe a une journée chargée

le(r) sar-ja(n) vairb a ewn joor-nay shar-jay
vairb dor da(n) so(n) lee. eel se(r) ray-vay ay se(r) lev.
eel oovr lay ro-bee-nay, se(r) lav lay ma(n) ay se(r) frot la fee-gewr.
eel se(r) lav lay da(n), a(n)-lev so(n) pee-ja-ma, may say vet-ma(n), ay se(r) bross lay she(r)-ve(r). vairb gleece le(r) lo(n) de(r) la ra(n)p pwee ma(n)j ewn tar-teen.
eel bwa so(n) ca-fay, lee le(r) joornal ay fay to(n)-bay ewn a-see-et.
eel don na ma(n)-jay oh ca-na-ree, fairm la fe-ne-tr ay oovr la port.
eel co(n)-dwee sa vwa-tewr, a(n)tr da(n) so(n) bew-roh ay ay-cree ewn letr.
eel parl a kell-ka(n) oh tay-lay-fon, dee-a no(n) keel ya ew a(n) ca(n)-bree-o-laj ay coor a sa vwa-tewr.
eel re(r)-gard ewn fe-ne-tr, egg-za-meen ewn a(n)-pra(n)t ay swee la trass dew ca(n)-bree-o-ler.
vairb poor-swee le(r) ca(n)-bree-o-ler, la-trap ay eel se(r) ba-gar.
bo-jay don a(n) coo de(r) pee-ay a vairb, vairb don a(n) coo de(r) pwa(n) oh ca(n)-bree-o-ler ay se(r)-lwee-see to(n)b par tair.
vairb le(r) re(r)-may sewr pee-ay, la(n)-men oh co-mee-sa-ree-a ay la(n)-fairm a clay.

Page 10 L'Inspecteur Nom et le taureau primé

la(n)-speck-ter no(n) ay le(r) toh-roh pree-may
trwa vo-ler ee-dee-oh ess-ay de(r) vo-lay a(n) toh-roh pree-may. par kell ba-ree-air la(n)-speck-ter no(n) dwa-teel pa-say poor lay pre(n)-dr sewr le fay.

Page 12 and 13 L'Inspecteur Nom et les espions industriels

la(n)-speck-ter no(n) ay lay zess-pee-o(n) a(n)-dew-stree-ell
no(n) se(r) tee-a(n) oh za-gay de(r)-va(n) tewn ew-zeen. eel vwa de(r) ess-pee-o(n) kee sort a(n) coo-ra(n).
eel lay swee too le(r) lo(n) de(r) la roo, pass par lay gree-ye(r) da(n)-tray ay a(n)-troh jar-da(n) pew-bleek.
eel pass de(r)-va(n) le lak, lay ba-la(n)-swar ay la fa(n)-far.
lay zess-pee-o(n) sa-prosh dewn ay-coll. no(n) re(r)-gard a tra-vair la cloh-tewr ay lay za-pair-swa da(n) la coor de(r) ray-cray-a-see-o(n).
coo-ra(n) a ler trooce eel pass de(r)-va(n) ewn ay-gleez, co(n)-toorn a(n) see-nay-ma ay a(n)-tr da(n) za(n) noh-tell.
eel troov lay zess-pee-o(n) a-see a a(n) ca-fey. eel se(r) dee-reej vair lay fe(r) tra-vairce la roo oh pa-saj cloo-tay
eel za-ta(n)d a a(n) na-re doh-toh-bewce. no(n) se(r) gleece day-ree-air a(n) ray-bair-bair ay va se(r) cash-ay day-ree-air ewn sta-tew.
lay zess-pee-o(n) rat loh-toh-bewce, ay co(n)-tee-new ler root a pee-ay.
eel pass de(r)-va(n) lo-pee-tal ay de(r)-va(n) a(n) troo da(n) la show-say.
eel vwa a(n) noo-vree-ay ay so(n) mar-toh-pee-ker, ewn pell-ay-te(r)z ay a(n) roo-loh co(n)-press-er.
eel sote par-de(r)-sew day twee-yoh ay day breek. pwee eel za-pair-swav no(n) a(n) tra(n) de(r) par-lay a a(n) ja(n)-darm.
eel se(r) day-pesh da(n)-tray da(n) za(n) bew-roh, ess-ca-lad less-ca-lee-ay ay a(n)-pra(n)t less-ca-lee-ay de(r) se(r)-coor.
no(n) lay poor-shass jewce-ke(r) sewr le(r) twa, co(n)-toorn a(n) dra-poh ay fee-nee par lay za-tra-pay pre dewn she(r)-mee-nay

Page 14 and 15 L'Inspecteur Nom fait un voyage en avion

la(n)-speck-ter no(n) fay ta(n) vwye-aj a(n) na-vee-o(n).
la(n)-speck-ter no(n) va la-ay-ro-poro(n) vwa-tewr. eel ay sewr la trass da(n) fro-der.
eel fay co(n)-tro-lay so(n) bee-ay. eel pass la dwan ay fay ta(n)-po-nay so(n) pass-por.
eel a-ta(n) da(n) la sal day day-par. eel re(r)-swa sa cart da(n)-bark-ma(n). eel ob-sairv lay zotr pa-say-jay.
la(n)-speck-ter no(n) marsh jewce-ka la-vee-o(n).
eel a-va(n)ce da(n) la ca-been ay troov sa plass. eel a-tash sa sa(n)-tewr de(r) say-kew-ree-tay.
la-vee-o(n) rool tray veet sewr la peest ay day-coll. no(n) va oh post de(r) pee-lo-taj.
eel parl oh pee-lot. re(r)-gard lay co-ma(n)d ay re(r)-vee-a(n) le(r) lo(n) dew coo-lwar sa(n)-tral.
eel a-pair-swa lay bar dor, shew-shot kell-ke(r)-shows a lo-tess ay a-ret le(r) fro-der.

Page 16 L'Inspecteur Nom et le magasin de déguisements

la(n)-speck-ter no(n) ay le(r) ma-ga-za(n) de(r) day-geez-ma(n).
no(n) ay so(n) na-see-sta(n)t vo(n) toh ma-ga-za(n) de(r) day-geez-ma(n). co(n)-bee-a(n) de(r) day-geez-ma(n) ess-ayteel.

Page 18 and 19 Nom et le gang du supermarché

no(n) ay le(r) gang dew sew-pair-mar-shay
no(n) va oh sew-pair-mar-shay. eel re(r)-shairsh day vo-ler de(r) veek-tew-a-ye(r).
eel pass de(r)-va(n) le con(p)-twa dew pa(n) ay dew ber, egg-za-meen le(r) fro-maj.
swee la peest le(r) lo(n) du con(p)-twa de(r) lay ay ya-oort, ay fay to(n)-bay day ze(r).
no(n) a(n)-speckt le(r) ja(n)-bo(n) ay le(r) ba-co(n) ay a-va(n) sa ca-tr pat de(r)-va(n) lay-ta-laj de(r) pwa-so(n).
eel jet a(n) coo de(r)-ye(r) a la fa-reen,oh soo-cr ay oh sho-co-la.
eel sa-ret de(r)-va(n) day poh de(r) myel, egg-za-meen la co(n)-fee-tewr, fay so(n) shwa de(r) bo(n)-bo(n).
eel pass a(n) coo-ra(n) de(r)-va(n) lay ga-toh ay lay beece-kwee ay a(n)-ja(n) lay pe(r)-tee pa(n).
eel ra(n)-vairce day bwat de(r) co(n)-sairv, day boo-tay ay day bo-coh.
eel se(r) re(r)-pose pre dew co(n)-jay-la-ter. da(n) coo de(r) pee-ay, eel ra(n)-vairce a(n) pa-nee-ay ay day bwat a(n) car-to(n).
no(n) day-coo-vr de(r) la vee-a(n)d, a(n) poo-lay ay day soss-eece.
eel pass a(n) coo-ra(n) day-ree-air la kess, sote par de(r)-sew day sack a pro-vee-zee-o(n) ay day sack de(r) pom-de(r)-tair.
pwee eel pra(n) lay vo-ler a(n) fla-gra(n) day-lee. eel lay me da(n) za(n) sha-ree-oh ay lay za-men a la pree-zo(n) poor shee-a(n).

Page 20 Le Détective Preposition et le chateau hanté

le(r) day-teck-teev pray-pa-zee-syo(n) ay le(r) sha-toh a(n)-tay
le(r) day-teck-teev pray-po-zee-syo(n) va oh sha-toh. day zess-croh ee o(n) ca-shay ler bew-ta(n).
eel a-reev oh doov, pass sewr le(r) po(n)-le(r)-vee ay a(n)tr par la loj de(r) gard.
eel re(r)-gard soo ewn pee-air, shairsh le(r) tray-zor a-veck sa la(n)p ay-leck-treek ay la dee-reej a(n)tr de(r) ca-no(n).
eel sa-ret pre da(n) peel-yay, eel a(n)-ta(n) da(n) brew-ee de(r) pa ay re(r)-gard da(n) za(n) pee-ess.
a(n) fa(n)-tome a-pa-ray day-ree-air lwee, pwee se(r) plass a(n) fass de(r) lwee. eel coor vair less-ca-lee-ay.
eel to(n)b jewce-ka(n) ba, pass a tra-vair le(r) pla(n)-shay may re(r)-to(n)b sewr say pee-ay.

Page 21 Le Détective Prenom à la rescousse

le(r) day-teck-teev pro-no(n) ma la ress-cooce
vwye-a(n) ke(r) pray-po-zee-syo(n) ne(r) re(r)-vee-a(n) pa, le(r)